TITAN +

COLLECTION DIRIGÉE PAR
ANNE-MARIE AUBIN

Maïna tome 1
L'APPEL DES LOUPS

De la même auteure

POUR LES JEUNES

La Bibliothèque des enfants,
Des trésors pour les 0 à 9 ans,
   Éditions Québec Amérique, Montréal, 1995.

Du Petit Poucet au Dernier des raisins,
   Éditions Québec Amérique, Montréal, 1994.

Valentine picotée,
   Éditions Québec Amérique, Montréal, 1998.

Toto la brute,
   Éditions Québec Amérique, Montréal, 1998.

Marie la chipie,
   Éditions Québec Amérique, Montréal, 1997.

La Nouvelle Maîtresse,
   Éditions Québec Amérique, Montréal, 1994.

La Mystérieuse Bibliothécaire,
   Éditions Québec Amérique, Montréal, 1997.

Un hiver de tourmente,
   Éditions Québec Amérique, Montréal, 1998.

Les grands sapins ne meurent pas,
   Éditions Québec Amérique, Montréal, 1993.

Ils dansent dans la tempête,
   Éditions Québec Amérique, Montréal, 1994.

Maïna – Tome I, L'Appel des loups,
   Éditions Québec Amérique, Montréal, 1997.

Maïna – Tome II, Au pays de Natak,
   Éditions Québec Amérique, Montréal, 1997.

POUR LES ADULTES

Marie-Tempête,
   Éditions Québec Amérique, Montréal, 1997.
Maïna,
   Éditions Québec Amérique, Montréal, 1997.

Dominique Demers

Maïna tome 1

L'APPEL DES LOUPS

QUÉBEC AMÉRIQUE JEUNESSE

329, RUE DE LA COMMUNE O., 3ᵉ ÉTAGE, MONTRÉAL (QUÉBEC) H2Y 2E1 (514) 499-3000

Données de catalogage avant publication (Canada)

Demers, Dominique

Maïna

(Collection Titan +)

Sommaire : t. 1. L'appel des loups – t. 2. Au pays de Natak.

ISBN 2-89037-814-4 (v.1) – ISBN 2-89037-815-2 (v. 2)

I. Titre. II. Collection.

PS8557.E4683M34 1997   C843' .54   C97-940110-0
PS9557.E4683M34 1997
PQ3919.2.D45M34 1997

Les Éditions Québec Amérique bénéficient du programme de
subvention globale du Conseil des Arts du Canada.

Elles tiennent également à remercier la SODEC
pour son appui financier.

Diffusion :
Messageries ADP
955, rue Amherst
Montréal (Québec) H2L 3K4
(514) 523-1182
extérieur : 1-800-361-4806 • télécopieur : (514) 939-0406

Dépôt légal : 1er trimestre 1997
Réimpression : novembre 1998
Bibliothèque nationale du Québec
Bibliothèque nationale du Canada

Révision linguistique : Diane Martin
Mise en page : Julie Dubuc

À mon fils Simon

Aness
(Ernest Dominique)
Artiste peintre

Ernest Dominique est né de parents monta-
gnais à Schefferville, au sein de la commu-
nauté de Matimekosh. Comme tous les jeunes
montagnais de sa communauté, il a fait ses
études secondaires à Schefferville. Dès 1978, il
a senti le besoin d'exprimer ses valeurs et de
mieux faire connaître la culture de sa nation.
Depuis, ses œuvres ont toujours provoqué une
réflexion chez les amateurs. L'environnement,
les modes de vie traditionnels, l'adaptation à
la modernité et les problèmes sociaux inhérents
à sa culture sont omniprésents dans les œuvres
de cet artiste.

Remerciements

J'aimerais exprimer toute ma reconnaissance :

à mon père, Harold Demers, qui a contribué de façon importante à mes recherches et m'a aussi accompagnée à l'étape d'écriture ;

à Daniel Chevrier, président de Archéotec inc., pour ses précieux conseils scientifiques et sa grande générosité ;

à André Croteau, Nathalie Mongeau, Gaston Boisvert, Johanne Guibert, Jean Stéphan Groulx, Jacques Pasquet, Jill Brook et Gordon Cockbaine, qui ont accepté de partager avec moi leurs connaissances du Grand Nord.

Merci aux amis qui ont eu la tâche ingrate de lire les premiers jets de ce roman : Micheline Demers, Diane Desruisseaux, Karine Desruisseaux, Johanne Beaulieu, François Gravel, Yolande Lavigueur, Myriam Tremblay, Julie Poulin, Diane Gravel, Evelyn Mailhot, Michèle Boudrias, Pauline Morel et les élèves de l'école Saint-Edmond.

D'autres m'ont lue et encouragée par la suite, je les en remercie.

Mes remerciements vont aussi :

aux miens, Michel, Simon, Alexis et Marie, qui m'ont laissée voyager jusqu'au pays de Maïna,

à l'équipe de Québec/Amérique, qui a toujours cru en ce roman,

et au Conseil des arts et des lettres du Québec, dont la bourse de création m'a permis de me consacrer uniquement à ce projet pendant plusieurs mois.

Sans tous ces appuis, Maïna *n'aurait sans doute jamais vu le jour.*

Avant-propos

À toutes les Marie-Ève, Stéphanie, Nathalie, Sarah, Maude...

À tous les Guillaume, Étienne, Marc-Antoine, Frédéric, Jean-Philippe...

À tous les jeunes qui aiment la lecture, les découvertes, l'amour, l'aventure...

J'ai écrit ce roman pour vous.

Maïna n'est pas si différente de ma dernière héroïne, Marie-Lune *(Un hiver de tourmente, Les grands sapins ne meurent pas, Ils dansent dans la tempête)*. Comme Marie-Lune, Maïna est passionnée, elle n'a pas froid aux yeux et refuse que d'autres décident pour elle. Elle est aussi profondément amoureuse et ce qui lui arrive est exceptionnel.

Mais, contrairement à Marie-Lune, Maïna a vécu il y a 3 500 ans. Je l'ai rencontrée pour la première fois il y a quelques années, au hasard d'une rêverie. À ce moment, je ne savais rien d'elle, je ne connaissais même pas son nom. J'ai simplement vu une adolescente, vêtue d'une tunique de peau, courant sur un cap très élevé qui surplombait un fleuve ou peut-être la mer. Une émotion très intense l'animait, mais je n'avais pas la moindre idée de ce qui la faisait courir.

J'ai mis plus d'un an à découvrir qui elle était et pourquoi elle courait. Au cours de cette enquête, j'ai consulté près d'une centaine de documents sur l'archéologie, l'anthropologie, la préhistoire, les mœurs, les coutumes et les croyances des Amérindiens et des Inuits et une foule d'autres sujets qui au départ m'apparaissaient terriblement ennuyeux. Souvent, surtout au début, j'ai eu l'impression d'être devenue complètement maboule. Je me demandais dans quelle étrange galère je m'étais embarquée et tous mes amis étaient du même avis.

Mais, peu à peu, j'ai découvert un monde fabuleux, fascinant, et j'ai terminé mon enquête totalement séduite par l'univers de Maïna et de Natak. Même que (et tant pis si ça peut paraître idiot) je suis, aujourd'hui encore, au moment où j'écris ces mots, terriblement amoureuse d'un homme qui s'appelle Natak.

Lac Supérieur, juillet 1996

Pour mieux comprendre...

La tribu amérindienne décrite dans ce roman a vécu il y a 3 500 ans, non loin de la région actuelle de Sept-Îles, au bord du fleuve Saint-Laurent. Elle est issue d'un peuple préhistorique de chasseurs-cueilleurs qui parcourait la forêt boréale dans des conditions extrêmement difficiles, du moins à nos yeux. Ces chasseurs ne possédaient que des peaux, des os, du bois, de l'écorce et des pierres pour survivre aux quatre saisons. Leur existence était régie par un ensemble complexe de rites et de croyances exprimant leur crainte et leur respect devant les grandes forces de la nature.

La tribu inuit de ce roman était établie sur la rive ouest de la baie d'Ungava. Ces paléoesquimaux n'avaient pas encore développé les techniques de construction de l'igloo et ils n'avaient pas encore inventé la lampe de pierre qui permit à leurs descendants de moins souffrir du froid et de faire cuire leurs aliments beaucoup plus facilement. La «baie des pierres de lune» que les gens du pays de Natak ont déjà fréquentée est désignée sur nos cartes sous le nom de «baie de Ramah», tout près des limites septentrionales de la côte du Labrador. C'est là la seule source connue d'une pierre qui fut très recherchée à cette époque.

C'est il y a 3 500 ans environ qu'eurent lieu les premiers contacts entre Amérindiens et Inuits. Les ancêtres de ces Amérindiens avaient franchi l'Amérique du Nord par le détroit de Béring il y a quelque 15 000 ans. Ceux des Inuits avaient emprunté une route semblable mais lors d'une migration plus récente, il y a seulement 4 000 ans. Les outils, les mœurs et les coutumes de ces deux peuples étaient donc différents. Leur rencontre fut le théâtre d'un grand choc culturel qui engendra de nombreux et fructueux échanges technologiques mais qui parfois aussi mena au racisme et à la violence. De tout temps, semble-t-il, les êtres humains ont craint la différence et se sont méfiés de l'Autre.

«Les peuples de chasseurs nordiques vivaient au seuil de la famine. Ils faisaient partie intégrante de l'équilibre naturel, avec tous les autres êtres vivants, de la mousse à caribou jusqu'à la baleine.»

Keith Crowe,
Histoire des autochtones
du Nord canadien

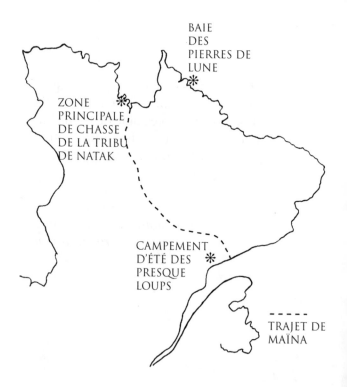

BAIE
DES
PIERRES DE
LUNE
✳

ZONE
PRINCIPALE
DE CHASSE
DE LA TRIBU
DE NATAK
✳

CAMPEMENT ✳
D'ÉTÉ DES
PRESQUE
LOUPS

- - - -
TRAJET DE
MAÏNA

Maïna voulait tuer. Planter sa lance et voir mourir avant qu'il fasse brun. Tuer, puis éventrer, éviscérer, écorcher et porter la bête encore chaude jusqu'au camp. Elle avançait à grands pas souples, mue par ce désir immense qui l'habitait tout entière. La veille, des hommes avaient ramené un caribou que l'hiver n'avait pas trop amaigri. Malgré sa grande faim, Maïna avait détourné son regard des entrailles fumantes. Le chef, Mishtenapeu, avait compris que sa fille renonçait à la nourriture afin d'amadouer les esprits avant d'accomplir un geste sacré. Maïna espérait qu'en échange le Manitou lui livrerait une bête.

Elle n'avait pas attendu que le soleil se lève en cherchant sa route dans le brouillard. Elle avait amorcé sa longue marche sous une lune blafarde. Les corbeaux volaient bas et les geais gris n'avaient pas crié. C'était bon signe.

Elle aurait pu chasser avec les hommes. Un passage de caribous avait été découvert dans la neige, des chasseurs épieraient la harde pour tendre une embuscade. Elle aurait aussi pu poser des collets de racines ou attirer des porcs-épics en sifflant, mais Maïna avait laissé les esprits guider ses pas et ils l'avaient conduite ailleurs. La fille de Mishtenapeu avait atteint l'âge des grandes bêtes ; toute la tribu savait qu'elle pouvait ramener des lièvres et des lagopèdes, il était temps de revenir avec une prise d'homme. Mais ce ne serait pas un castor, ni un caribou. Maïna suivait un loup.

Les premières empreintes étaient apparues de l'autre côté de la montagne chauve. Maïna avait caressé de ses doigts nus les traces fraîches, bien profondes, dans la neige. Elles traversaient une rivière puis un sous-bois. C'est en atteignant une petite clairière ensoleillée que Maïna aperçut enfin les sept loups. Ses entrailles se nouèrent et un désir impérieux naquit en elle. Une force irrésistible l'attirait vers ces bêtes.

Elle choisit le plus haut, le plus large, le plus noir, celui qui ne baissait jamais la queue : le chef. Toute la journée, elle marcha sous le vent, assez loin pour ne pas être sentie ni entendue. La neige lui racontait le passage des loups. Leurs arrêts, leurs hésitations. Maïna se sentait forte et, pourtant, elle tremblait.

Ils s'arrêtèrent dans une tourbière gelée. Le chef était aux aguets. Trois des petits se roulaient en grognant de bonheur sous les aulnes givrés. Maïna avait honte de son cœur qui battait trop fort. Elle avançait à genoux maintenant, calculant chaque pas, mesurant chaque geste, attentive à tous les bruits, inquiète des branches qui pouvaient craquer et des oiseaux cachés menaçant de s'envoler et d'alerter les loups. Maïna progressa lentement, la mâchoire serrée, tous ses membres tendus, sans même sentir l'eau glacée sous ses jambières de peau. Elle n'avait plus peur. Elle parlait doucement à l'esprit des loups, lui rappelant son offrande de la veille, lui promettant de respecter tous les interdits et de libérer l'âme de sa victime. Rien d'autre n'existait. La bête fabuleuse était devenue son seul univers. Maïna n'aurait jamais cru qu'on pouvait tant désirer une proie.

Les loups s'agitèrent. Ils semblaient prêts à poursuivre leur route, mais le chef lança un ordre et ils s'allongèrent dans la neige. Seul le grand loup noir resta debout, décrivant un large cercle à pas lents autour des siens.

Maïna brandit la lance. Ses gestes étaient sûrs, elle n'hésita pas. Le projectile siffla, fendant le vent d'hiver. À cet instant même, le loup tourna lentement la tête vers elle et leurs regards se croisèrent. La bête aperçut les yeux noirs, brillants de désir. Maïna vit les prunelles dorées, deux petits soleils résignés, et une grande paix l'envahit. Le loup savait et il acceptait. Maïna en était persuadée. Ces deux pierres jaunes, lumineuses, ne disaient pas la rage, ni même la peur ou la colère. Le loup se livrait. Les esprits avaient accepté d'aider Maïna.

Mais au dernier moment, alors même que la lance s'enfonçait dans son flanc, on eût dit que le loup changeait d'idée, qu'il refusait de mourir. La bête bondit. Un éclair noir creva le champ de neige. Le loup ne dansa pas, comme les caribous, avant de mourir. Il courut, porté par un dernier élan de courage, avant de s'écrouler, sans râle, sans cri, sans bruit.

Les autres loups hésitèrent un peu avant de fuir. Maïna se mit au travail. Elle ramassa du bois sec et des excréments puis creusa la neige pour trouver de la mousse. Elle prit son arc-à-feu dans le sac de peau qu'elle portait en bandoulière, le déposa cérémonieusement sur le sol et s'agenouilla devant ces deux précieux morceaux de bois qui permettaient de faire apparaître le feu. Elle retira alors ses mitaines de fourrure et glissa ses mains sous plusieurs épaisseurs de peaux pour les réchauffer en les aplatissant sur ses petits seins.

— À peine plus gros que des crottes de lièvre, se moquait sa cousine Mastii.

Maïna frotta sans répit, toujours au même rythme, comme sur une musique secrète, la mince baguette contre le morceau de bois dur. Elle retenait son souffle, tous ses sens en alerte, guettant l'apparition magique. Elle avait, tant de fois déjà, répété ces gestes précis et pourtant elle ne se départait jamais de la terrible crainte que le feu ne renaisse pas.

Un filet de fumée, si mince qu'on l'aurait cru imaginé, finit par s'élever. Maïna redoubla d'ardeur, chauffant le bois en le frottant énergiquement pour que la fumée épaississe. Des miettes de mousse et d'excréments puis des brindilles alimentèrent bientôt une flamme fragile. Après, les gestes de Maïna s'enchaînèrent plus rapidement. Elle retourna à la bête, retira la lance, pressa ses lèvres contre la plaie et but avidement le sang chaud.

Maïna ouvrit sa proie en lui tranchant le ventre avec son couteau à pointe de pierre. Puis, plongeant les mains dans le creux sombre et odorant, elle dégagea les entrailles. Elle écorcha ensuite son loup, caressa longuement la magnifique fourrure, puis fit brûler la chair et les os, car les Presque Loups ne mangent jamais leur semblable. Lorsque la faim les terrasse et que les caribous, les castors et les poissons se refusent, les Presque Loups se gavent de plantes comme la tripe de roche, ils dévorent jusqu'à la panse pulpeuse du castor, grugent la chair blanche sous l'écorce des arbres ou creusent le sol de leurs doigts meurtris en quête de racines, mais ils ne goûtent jamais à la chair du loup.

Le soleil éclairait encore faiblement les arbres lorsque Maïna amorça sa marche vers le campement, étourdie de faim, de bonheur et de froid, une peau noire encore sanguinolente jetée triomphalement sur ses épaules. Les Presque Loups la virent traverser le campement avec son trophée, mais nul ne dit mot. Les plus vieux étaient choqués, les plus jeunes épatés, mais à quoi bon le dire. Les Presque Loups étaient un peuple d'action mais de peu de paroles.

Mishtenapeu avait attendu sa fille devant leur abri de peau érigé au centre du campement.

Maïna

Il avait deviné qu'elle courrait derrière une grosse bête et savait que plus d'une aube pouvait se lever avant qu'elle ne revienne. Son cœur frémit lorsqu'il l'aperçut soudain, brisée de fatigue et grisée par une joie nouvelle.

Chef et chaman, Mishtenapeu connaissait mieux que quiconque les exigences du Manitou, le plus grand de tous les esprits, et comprenait la réprimande silencieuse des Presque Loups. Sa fille était partie seule et elle avait tué une grande bête. Un loup! Elle n'avait pas respecté la volonté du Manitou. Le chef se répéta silencieusement la parole des vieux. *Le Manitou a créé l'homme en premier et il lui a ordonné de chasser. Au bout de quelques lunes, il lui a donné une femme pour préparer la viande, coudre les peaux et enfanter. Pas pour chasser.*

Mais Maïna était différente. Mishtenapeu fouilla le ciel de ses yeux perçants. À quel étrange destin sa fille était-elle promise? Elle avait déjà prouvé qu'elle possédait la ruse, la force, la patience et le courage des vrais chasseurs. Peut-être avait-il eu tort de la laisser traverser la frontière entre la femme et l'homme pour lui servir de fille et de fils à la fois. Maïna chassait pourtant depuis plusieurs saisons et les esprits ne s'étaient pas révoltés. Elle avait traqué les bêtes tout l'hiver à ses côtés et aucun grand malheur ne s'était abattu sur eux. Le chef y avait vu l'approbation des puissances.

La nuit était tombée, des myriades d'étoiles avaient envahi le ciel. Mishtenapeu ferma les yeux pour mieux se recueillir. Il revit sa fille, telle qu'il l'avait aperçue, radieuse et fourbue sous sa peau de loup. Mishtenapeu sourit et laissa sa joie l'envahir.

Un

Les canots glissaient doucement entre les rives encaissées. Maïna avironnait ferme en compagnie de sa cousine Mastii. Le petit Napani, le fils de Mastii, dormait au fond de l'embarcation. Devant eux, le canot de Mishtenapeu tanguait parfois dangereusement, car de grosses pièces de viande d'ours l'alourdissaient. Les Presque Loups poursuivaient leur longue descente annuelle vers la grande eau. Les branches des aulnes débordaient de chatons qui se tortillaient comme des chenilles sous les caresses du vent. Les sous-bois dégageaient un parfum capiteux de terre humide, gorgée de promesses. L'hiver fuyait sans avoir fait trop de ravages. Un homme était mort gelé, deux autres avaient disparu, happés par une tempête ou épuisés par des proies fuyantes.

Maïna devinait déjà l'odeur d'algues, de sel et de sable mouillé, le ciel immense et les nués d'oiseaux lançant de grands cris indignés. Elle avait hâte de revoir les siens que la chasse d'hiver avait dispersés, mais la forêt d'épinettes traversée de rivières était son véritable pays. Heureusement, à chaque printemps, les vagues

Maïna

de la grande eau lui ramenaient Tekahera. En songeant à sa mère adoptive, Maïna sentit son cœur bondir comme un faon. Tekahera valait toutes les forêts réunies. Bientôt, elle viendrait et caresserait doucement sa joue de ses longs doigts noueux. Ce serait doux et bon comme l'eau, la viande, le feu quand on a soif, faim et froid depuis longtemps.

Un remous agita le canot. Une autre embarcation approchait. Le regard de Maïna s'assombrit en découvrant Saito, son promis. Il avait été recueilli par Mishtenapeu à la mort de son père, Nosipatan, l'ancien chef et chaman. Bientôt, il deviendrait son époux. Leur union avait été décidée avant même que Maïna apprenne à marcher. Saito était né quelques hivers seulement avant elle, mais sa forte stature et l'absence de douceur dans son visage anguleux donnaient l'impression d'un homme mûr, d'un homme dur surtout. Saito avait chassé près d'une autre rivière pendant la dernière saison et ils s'étaient retrouvés quelques jours plus tôt, là où la rivière aux mélèzes se jette dans la rivière aux loutres. Maïna avait alors renoué avec la peur sourde et le dégoût qui l'envahissaient en présence de cet homme. Elle se sentait traquée par ses yeux de corbeau, et l'idée de lui appartenir la révoltait. À cause de lui, elle regrettait déjà amèrement de ne plus être une enfant.

Mastii secoua un collier de coquillages sous les yeux de Napani, qui gazouilla de bonheur.

Dominique Demers

Maïna sourit. Elle enviait son amie. Mastii avait été fécondée très tôt par un homme qui ne l'avait pas réclamée à ses côtés. Sa cousine avait des yeux doux et un corps magnifique, mais elle n'était pas une épouse recherchée, car elle manquait souvent de force et de santé. Heureusement, le père de Mastii était bon chasseur et ses fils ayant péri dans une atroce tempête, il était heureux de nourrir le petit Napani.

Le canot de Saito frôla celui de sa promise puis le dépassa. Maïna frémit comme si, en s'approchant, il avait pu voir en elle et deviner son secret. Deux fois déjà, elle avait caché son sang. Elle était devenue femme pendant l'hiver, alors qu'elle ne s'y attendait pas. N'eût été de Saito, elle aurait sans doute été fière. Elle avait des provisions de mousse et une queue de renard offerte par Mastii pour recueillir le sang entre ses cuisses. Maïna aurait dû annoncer le grand événement à son père et, surtout, elle aurait dû respecter les lois. Aux premiers sangs, les jeunes filles sont jugées impures. Elles doivent se retirer dans une tente, loin des hommes, manger seules et se recueillir jusqu'à ce que leur sang ne coule plus. Nul homme ne doit entrer en contact avec elles, ni même toucher à ce qu'elles touchent, car les femmes souillées éloignent les bêtes, et les chasseurs contaminés reviennent bredouilles.

Afin de ne pas nuire aux hommes en offensant les esprits, Maïna s'était tenue à l'écart jusqu'à ce que la mousse entre ses jambes ne se mouille plus, mais elle n'avait pas eu le courage d'avouer qu'elle n'était plus une enfant. Les rites d'initiation ne l'effrayaient pourtant pas. Au contraire, elle avait hâte de s'allonger dans une fosse et de subir les premiers supplices dans l'attente d'une vision. Elle ne redoutait ni la faim, ni la soif, ni le froid, ni les fourmis et elle ne craignait pas l'assaut des corbeaux qui attaquent parfois les jeunes filles immobiles. Elle savait aussi qu'il arrive que les grandes bêtes se méprennent et, croyant voir un cadavre, se jettent sur les suppliciées avant même que celles-ci n'aient découvert si leur esprit tutélaire était un lièvre, une pierre, une oie, un rocher, un bouleau ou une rivière. Maïna ne souhaitait pas échapper à l'initiation. Elle avait caché ses saignements parce que Saito n'attendait que ce signe pour la réclamer comme femme.

Des hirondelles vinrent danser dans le ciel. Bientôt, la rivière s'élargirait une dernière fois avant de s'engouffrer dans un étroit passage pour mieux exploser à la dernière chute. Après, c'était la grande eau salée. Maïna serra sa peau de loup sur ses épaules et rajusta sa coiffe de cuir ornée d'aiguilles de porc-épic. Napani gémit. Mastii déposa son aviron et releva sa chemise de peau pour lui offrir son petit sein d'adolescente gonflé de lait. Maïna porta une main à la pochette sacrée pendue à son cou. Parmi les trésors que ses doigts reconnurent à

Dominique Demers

travers la mince peau, elle distingua le bout de cordon ombilical qui lui servait de porte-bonheur. Elle recommença à avironner en songeant à un autre bébé nourri par une mère de fortune.

Ce printemps de la naissance de Maïna, Mishtenapeu avironnait sans voir ni ciel ni eau. Une douleur atroce engourdissait tous ses membres ; il ne savait plus reconnaître le printemps de l'hiver et le vacarme des outardes n'atteignait pas ses oreilles. Tous étaient honteux et inquiets de voir ce grand homme abruti par l'émotion. Tant de faiblesse n'était pas digne du chef des Presque Loups.

Il y avait déjà plusieurs nuits que Sapi, la compagne de Mishtenapeu, avait hurlé ce cri incompréhensible – MAAA-Ï-NAAAA – avant de quitter le pays des épinettes noires pour basculer dans l'autre monde, ce paradis, par-delà la grande eau, où les Presque Loups n'ont plus jamais faim ou froid. En s'éteignant, Sapi avait laissé glisser entre ses longues cuisses musclées une petite fille qu'il aurait fallu abandonner aux corbeaux. Mais Mishtenapeu l'avait défendue, prétextant, dans un dernier moment de lucidité, que la chasse avait été bonne et qu'une fille de plus ne nuirait pas trop. Maïna avait donc survécu, nourrie par des femmes qui tenaient surtout à ne plus entendre ses cris.

29

Maïna

Ce printemps-là, Mishtenapeu avait semblé perdre la raison. Il avait refusé d'abandonner le cadavre de sa compagne au sommet d'une montagne. Il l'avait transportée dans son canot pendant de longs jours, depuis la rivière aux loutres jusqu'à la grande eau, la chargeant sur ses épaules durant de pénibles portages et dormant encore à ses côtés la nuit malgré la puanteur. Lorsqu'ils avaient enfin quitté le couvert d'épinettes pour camper sur les rives de la grande eau, les Presque Loups étaient prêts à renier leur chef.

C'est alors que Tekahera la mystérieuse était revenue d'exil. Un soir de fin d'été, trois ans avant la naissance de Maïna, Tekahera, la cousine de Mishtenapeu, avait quitté le rivage de la grande eau à l'heure où il fait brun pour fuir seule, en canot, vers les îles. Quelques nuits plus tard, les Presque Loups avaient repéré une guirlande de fumée au-dessus de la troisième île et ils n'avaient pas revu Tekahera jusqu'à ce matin, au printemps de la naissance de Maïna, où se dessina au loin un point noir, comme un moustique sur la mer. Un canot apparut bientôt et ils reconnurent celle qui avait fui.

Tekahera s'était alors glissée sous la tente de Mishtenapeu et elle y était restée tout un jour et toute une nuit. En ressortant, à l'aube, elle avait réclamé Maïna et à partir de cet instant elle avait veillé à ce que ce petit paquet remuant qu'elle surnommait affectueusement sa grenouille soit toujours bien nourrie et ait de

la mousse propre sous les fesses. Quant à Mishtenapeu, il était resté quelques heures encore
sous la tente avant de réapparaître enfin, la
dépouille de Sapi sur son dos. Nul ne savait
jusqu'où il avait erré avec ce funèbre chargement, mais à son retour il était seul et semblait
avoir repris pied au royaume des vivants.

Plus personne n'avait parlé de Sapi, de
crainte qu'un mauvais esprit ne s'empare de
nouveau du chef. Ce dernier apprit à langer la
petite grenouille et la promena bientôt partout,
en se pavanant comme si c'était un fils. Mishtenapeu prouva qu'il savait encore apprivoiser
l'esprit du caribou et éloigner le Windigo, le
géant cannibale. Il réussit à deviner les rivières
où le castor accepterait de se livrer et à arracher
au tambour des plaintes magiques. Il méritait
encore d'être celui qui décide et parle aux esprits.

Mais les vieux disaient que l'âme de Mishtenapeu était encore hantée par des forces invisibles. Les bracelets de deuil, ces fines lanières
de peau de caribou nouées aux poignets du chef,
avaient pourri depuis longtemps, ce qui signifiait
que l'âme de Sapi courait désormais dans un
territoire fantastique où les ours, les castors et les
caribous abondaient. Pourtant, Mishtenapeu
souffrait encore et parfois, la nuit, le chef des
Presque Loups se glissait hors de sa tente et marchait silencieusement jusqu'à la grande eau. Là,
sous les étoiles, il poussait un hurlement douloureux et effrayant qui glaçait le sang des
femmes et arrachait les hommes à leur sommeil.

Deux

Saito attendit que Maïna soit tout près. Il l'avait vue longer la tourbière et s'était dissimulé dans les hautes herbes. Elle poussa un cri, surprise et effrayée, lorsqu'il plaqua son corps contre le sien, pressant son sexe dur dans son dos.

— Je n'ai pas saigné, rappela Maïna d'une voix mal assurée en se forçant à rester immobile malgré une forte envie de se débattre.

Saito hésita. Il n'avait pas à attendre qu'ils soient officiellement unis pour goûter à son corps. Il pouvait la prendre de force, tout de suite, par-derrière, comme font les grandes bêtes. Mais d'autres Presque Loups risquaient d'entendre les cris de Maïna, car elle se défendrait. Tous sauraient alors qu'elle ne voulait pas de lui. Saito repoussa Maïna.

— Tu saigneras bientôt, cracha-t-il d'un ton menaçant.

Alors, songea-t-il, elle lui appartiendrait. Il pourrait la battre afin qu'elle lui obéisse. Saito avait hâte de dompter cette promise qu'il désirait et détestait tant. Il s'était laissé troubler en l'apercevant au bord de la rivière aux loutres et, si Mishtenapeu ne lui avait juré que sa fille n'était pas encore femme, il ne l'aurait pas cru tant Maïna semblait mûre pour l'accouplement.

Saito avait un plan. Une voie secrète, bien tracée. Il devait se maîtriser. Attendre que le temps soit venu. Bientôt, Mishtenapeu se repentirait d'avoir toujours préféré sa fille. Il regretterait aussi de l'avoir éloigné, lui, son fils adoptif. Saito n'avait pas oublié l'affront qu'il avait subi au cours du dernier été.

Cette nuit-là, il avait voulu Maïna tout de suite. Il dormait dans la tente de Mishtenapeu depuis sa tendre enfance et s'accouplait souvent à d'autres filles, mais cette fois il tenait à prendre sa promise. Nulle autre. Maïna s'était réveillée affolée en découvrant le corps nu de Saito écrasé contre le sien et ses larges mains froides sur ses seins. Elle avait réussi à crier avant qu'une de ces mains ne s'abatte sur son visage.

Alerté, fou de rage, Mishtenapeu s'était rué sur son fils adoptif. Celui-ci avait dû encaisser l'insulte. Pourquoi Mishtenapeu défendait-il si férocement sa fille, comme si Saito ne la méritait pas? N'était-il pas fort, habile et endurant? Bien des hommes boudent leur promise, lui préférant toujours d'autres filles. Il avait désiré la sienne tout de suite, mais cette grande biche dédaigneuse qui chassait comme les hommes et frayait avec Tekahera-la-sorcière osait le repousser, lui, le fils de Nosipatan, ancien chef et chaman, un des meilleurs chasseurs de la tribu.

Saito avait senti la haine monter en lui comme une sève amère et depuis il préparait secrètement sa vengeance.

À partir de cette nuit, Maïna et Saito furent séparés comme le sont souvent, à cet âge, les jeunes promis. Non seulement Saito partageait-il la tente d'une autre famille mais à la fin de l'été, lorsque Mishtenapeu avait organisé les équipes de chasse, il n'avait pas gardé Saito avec lui. Maïna avait savouré cet hiver de grâce en sachant que ses jours de liberté étaient comptés. Bientôt, elle dormirait sous la peau d'ours de Saito et subirait ses assauts. C'était un homme enragé, il serait dur avec elle. Il la battrait souvent, l'empêcherait de chasser et la condamnerait à racler et coudre des peaux, à nourrir le feu et à tirer de lourds fardeaux.

Le feu crépitait au milieu du campement en répandant une bonne chaleur lorsque Maïna revint de sa marche, angoissée et tremblante après sa détestable rencontre avec Saito, sans ramener le bois sec qu'elle était partie chercher. La tête de l'ours trônait déjà au bout d'un pieu, les pattes gisaient sur des branches d'épinette ; le cœur, le foie et la langue cuisaient lentement dans un récipient d'écorce. Les femmes retiraient du feu de grosses pierres brûlantes qu'elles jetaient dans les marmites d'écorce pour chauffer l'eau de cuisson. La chair de l'ours était éparpillée autour du feu afin que chacun ait sa part à griller.

C'était un ours de bonne taille avec beaucoup

de graisse entre la fourrure et la chair. Maïna
enduisit ses cheveux de gras et s'en frotta aussi
le visage. Elle noua à ses chevilles des bracelets de coquillages qui tintaient joyeusement et
accrocha au bas de sa tunique des queues de
lièvres qui effleuraient doucement ses jambes.
Dans cette tenue d'apparat, elle attendrait le
retour de Tekahera.

Des nuées d'enfants couraient autour du feu
en repoussant à coups de branches les chiens
attirés par la viande. Si l'un d'eux grignotait un
os, l'esprit de l'ours serait offusqué et il aler-
terait tous les ours de la forêt, qui se déro-
beraient à jamais. L'odeur de chair, de gras,
d'entrailles et de sang mêlée à celle des corps
réunis fouettait les sens et réveillait les appétits.
Pendant les longues semaines de descente vers
la mer, chacun s'était contenté de poisson et de
petit gibier. Ce soir, il y aurait de la chair d'ours,
de la peau de porc-épic, des boyaux bouillis,
de la belle viande noire de castor et plusieurs
queues.

Tous attendaient, le cœur en fête, que
Mishtenapeu s'empare du tambour et danse en
l'honneur de l'ours. Lorsque les larges mains
du chef s'abattirent enfin sur la peau tendue,
un grand frisson parcourut la tribu. Mishtenapeu dansa longtemps et dit le plus grand bien
de cette bête qu'il avait chassée. Puis, il fit
circuler la tête plantée dans un pieu afin que
plusieurs la fassent griller, partageant ainsi la
responsabilité de cette grave chasse. Lorsque la

tête revint à Mishtenapeu, le chef déposa le tambour et tous s'immobilisèrent. Mishtenapeu planta ses dents dans une des joues et en arracha un grand lambeau de chair grillée. Dans un même mouvement, tous les Presque Loups se jetèrent sur les morceaux de viande disposés autour du feu et Mishtenapeu distribua le cœur de l'ours, les testicules et les pattes de derrière aux hommes qui avaient participé à la chasse.

Les Presque Loups dévorèrent férocement, étourdis par tant d'abondance. Au bout de quelques heures, une douce léthargie gagna la tribu. Des enfants basculèrent malgré eux dans le sommeil, hypnotisés par les flammes. Les plus grands grignotaient la moelle crue des os ou se léchaient les doigts, repus et contents. Maïna rêvait de chasse, de torrents, de forêts et de lacs lorsqu'un murmure s'éleva de la foule. Elle s'éveilla avec l'impression de renaître au monde. En ouvrant les yeux, elle sut que son univers s'était transformé. Tekahera était revenue. Maïna n'avait même pas à la chercher du regard. Elle en était sûre. Tekahera avait quitté son île, ses paysages secrets, des milliers d'oiseaux, des centaines de renards, de loups, d'ours et de lièvres pour se mêler de nouveau aux Presque Loups et caresser encore, une seule fois, comme à chaque printemps, la joue de Maïna de ses longs doigts noueux.

De hautes flammes jaunes et bleues projetaient de larges ombres mouvantes derrière

Maïna

Tekahera. Maïna ne pouvait plus détacher son regard de la revenante, de cette longue chevelure plus sombre que les épinettes du nord, de cette mince silhouette aux gestes dansants, de ce visage à la fois grave et épanoui. Elle était là, belle et inquiétante, le regard noyé dans des ciels trop grands. D'étranges lumières palpitaient dans ses yeux que rien ne semblait pouvoir obscurcir. Tekahera était parée de magie, habitée par d'extraordinaires secrets.

Maïna attendit, le cœur suspendu, que Tekahera vienne vers elle. L'arrivante se fraya un passage en enjambant plusieurs corps endormis et elle s'arrêta à quelques pas de Maïna. On eut dit qu'elle hésitait; elle était simplement émue. En apercevant sa presque fille, Tekahera avait deviné qu'elle était femme désormais. Sa petite grenouille s'était métamorphosée durant l'hiver. La vieille amie de Mishtenapeu plongea son regard dans celui de Maïna et les tempêtes qu'elle y découvrit la chavirèrent. Quel singulier destin réservait le Manitou à cette enfant à peine devenue femme et déjà assaillie par d'aussi violents orages?

Maïna respirait à peine et ses jambes tremblaient. Elle n'en pouvait plus d'attendre. Son corps, son âme, tout son être était affamé de tendresse. Tekahera s'approcha enfin. Maïna resta immobile, prête à recevoir la caresse sur sa joue, mais Tekahera eut un geste étrange, imprévisible, qui fit valser le cœur de Maïna. Elle entoura la jeune fille de ses grands bras d'oiseau et l'étreignit tendrement. Maïna n'avait jamais rien connu d'aussi bon.

Ce soir-là, les Presque Loups dansèrent jusqu'à ce que la lune commence à disparaître. Alors, Tekahera s'approcha du feu et l'excitation devint rapidement palpable. Les femmes firent taire les bébés en leur donnant le sein; on alimenta le feu et Mishtenapeu reprit le tambour, scandant très lentement un rythme qui ressemblait à un appel. Tekahera allait parler et tous savaient que sa parole était sacrée, car dans sa bouche naissaient des animaux et des paysages, des forêts et des ouragans, des créatures effroyables qui glaçaient le sang des Presque Loups, mais aussi de grands oiseaux lumineux et des aurores boréales ensorcelantes. Ce pouvoir de parole que tous les Presque Loups lui enviaient, Tekahera l'avait ramené de son long ermitage avant la naissance de Maïna. À son retour, Tekahera était un peu sorcière, grande guérisseuse et formidable conteuse. En parcourant son île aux quatre vents, elle avait appris les secrets des plantes et des bêtes pour apaiser la douleur et cicatriser les plaies, mais sa magie des mots semblait provenir d'ailleurs. On aurait dit qu'elle l'avait arrachée aux esprits.

La foule était silencieuse. On n'entendait plus que le son du tambour, on ne sentait que l'haleine du vent. Tekahera ferma les yeux et accorda son corps aux battements de l'instrument. Maïna admira le visage doux de Tekahera, ses beaux seins pleins qui remuaient sous sa tunique souple et ses gestes si gracieux qu'on l'eut crue plus parente des oiseaux que du loup. Tekahera raconta l'origine des Premiers Hommes.

«C'était il y a des lunes et des lunes. Et plus encore. Les esprits avaient attiré les Premiers Hommes hors de leur territoire de chasse pour les guider vers un vaste pays de glace, sans arbres pour nourrir un feu. Les Premiers Hommes avaient avancé sur ce sol cruel, chassant des proies gigantesques, luttant contre des froids mordants et des vents fous. Ils avaient faim, si faim qu'ils dormaient peu, de crainte qu'un des leurs ne les dévore pendant leur sommeil.

«Ils étaient courageux. Nombre d'entre eux moururent, mais d'autres réussirent à se nourrir un peu et ils poursuivirent leur route. Comment les Premiers Hommes arrivaient-ils à arracher des lambeaux de chair aux monstres d'il y a si longtemps?»

Tekahera s'arrêtait toujours là, et de la foule réunie jaillissait un même mot :

— MANITOU!

Alors, elle reprenait.

«Oui, le Manitou, le Plus Grand Esprit, les protégeait parce qu'il les avait choisis. Sinon, comment auraient-ils pu lutter contre le tigre-aux-dents-qui-tuent, celui qui enserrait ses victimes avant de les transpercer de ses canines énormes? Contre les paresseux géants, ces mastodontes qui, au moment d'attaquer, se dressaient sur leurs pattes de derrière et déchiraient le ciel de leurs griffes crochues? Comment les

Premiers Hommes auraient-ils pu affronter les bisons à longues cornes et les mammouths armés de défenses colossales? Ils couraient en troupeaux si denses qu'on aurait dit des nuées d'insectes au loin. Et comment ces pauvres hommes auraient-ils pu lutter contre les panthères redoutables et ces castors géants plus pesants qu'un ours et des chiens-loups de la taille d'un faon qui, d'un seul coup de mâchoires, broyaient les membres de leurs victimes?

«Le Manitou n'avait pas abandonné les Premiers Hommes, mais il leur infligeait d'horribles supplices. Il les poussait au bout de leurs forces afin de s'assurer qu'ils méritaient d'être choisis. Longtemps, le soleil disparut. Les Premiers Hommes se mirent à douter des esprits, mais ils poursuivirent quand même leur route dans l'interminable nuit. Lorsque la lumière revint, ils n'avaient plus assez de forces pour projeter leurs lances à bout de bras. La faim leur brouillait la vue et alourdissait leurs membres. Ils creusèrent la neige à en déchirer leurs doigts bleus pour s'offrir une maigre protection contre le vent. Ils se sentaient aussi seuls et perdus qu'une étoile dans un ciel immense.

«Alors, le Manitou eut pitié. Il souffla sur les forêts plus bas, réveillant le maître des caribous. Des hardes, des foules, des nuées de caribous se levèrent, secouèrent leur pelage et s'élancèrent d'un même souffle vers le nord, dans un fracas de sabots plus grand que le tonnerre. Derrière eux couraient des loups affamés.

Maïna

«C'est ainsi que les Premiers Hommes sont devenus les Presque Loups. Ils suivent les hardes, attendent, guettent et frappent. Ils mangent aussi des oiseaux et des lièvres, des castors et des ours, mais leur vie dépend toujours des troupeaux de caribous qui courent sur les lacs et se faufilent entre les montagnes dans de spectaculaires et sournoises migrations.»

Tekahera fit une pause. Elle but de l'eau à petites gorgées puis inspira profondément, comme pour puiser au fond d'elle-même quelque force secrète. Après la légende des Premiers Hommes, elle racontait toujours l'arrivée du peuple des glaces, ces étrangers dont les Presque Loups se méfiaient comme du carcajou.

«Ce sont de petits êtres cruels habités par un esprit mauvais. Leur âme est glacée. Ils vivent sans feu dans un désert de glace, chassant les énormes bêtes qui nagent sous les eaux gelées. Ils se gavent de graisse et mangent cru, comme les bêtes, leurs crocs terribles mordent dans la chair gelée. Ils sont sans pitié. Pour éliminer un des leurs, ils lui transpercent le cœur d'un coup de lance. Lorsque ragent les tempêtes et que la faim torture leur esprit, ils s'entredévorent sans remords. Les Presque Loups qui ont marché longtemps vers le froid, jusqu'au pays sans arbres, ont entendu, les soirs de tempête, les plaintes lamentables des hommes des glaces dévorés par leurs frères.»

Un long silence suivit les paroles de Tekahera. Les Presque Loups étaient profondément remués. Puis, peu à peu, on oublia les visions nées du grand récit et la fête continua jusqu'à ce que la fatigue triomphe. Maïna s'était assoupie, mais après un bref sommeil sans rêve elle s'éveilla, le cœur trop agité pour dormir de nouveau. Elle se leva et marcha vers la grande eau. Une peau de brume recouvrait l'eau endormie. Le ciel était encore sombre, mais au loin l'horizon s'effilochait en lambeaux roses et mauves à l'approche de l'aube. Maïna avança lentement, escaladant les grosses pierres, ces îles noires et rondes sur la mer de sable. Dans la lumière timide, Maïna admira les raies d'ocre, d'or et de gris sur le dos des pierres.

Les Presque Loups avaient percé le mystère de quelques couleurs en broyant des pierres, de la terre, des pétales ou des œufs de poisson. Mais arriveraient-ils jamais à reproduire toutes les couleurs du ciel ou même celles des pierres striées de la grève? Maïna soupira. Tout était trop grand ici. Tant d'eau, tant de ciel. Elle préférait la forêt d'épinettes, le couvert sombre des arbres qui protège des vents et limite l'espace.

Un froissement d'ailes monta de la grève. Des outardes mal endormies avaient fui à l'approche de Maïna, laissant derrière elles des effluves de printemps. Maïna marchait sans but. Au sommet d'une avancée de pierres, elle s'arrêta brusquement. Un homme venait d'émerger du sous-bois. Il ramenait un carcajou empalé sur sa lance. L'animal remuait encore, le chasseur ne s'était pas donné la peine de mettre fin à son agonie. Maïna s'accroupit derrière les pierres, le cœur battant à tout rompre. C'était Saito.

Il s'arrêta près de la grande eau, à quelques pas de Maïna, et brusquement creva les yeux de l'animal. Le carcajou tressaillit, ses membres s'agitèrent, puis il s'immobilisa. Saito attendit qu'il remue de nouveau avant de lui briser les pattes puis de le mutiler d'une pluie de coups de couteaux. Quand le carcajou ne réussit plus à ouvrir la gueule, Saito l'empoigna par la queue et l'abattit tant de fois sur les pierres que sa cervelle éclata et se répandit.

Le carcajou est une bête infâme, il vole les proies des Presque Loups, chipe leur viande. Les Presque Loups le tourmentaient parfois un peu avant de le tuer mais jamais comme Saito venait de le faire. Ses gestes témoignaient de l'emprise d'un esprit malveillant, de ceux qui font oublier aux Presque Loups leur véritable nature. Maïna frissonna de dégoût.

Saito repartit en longeant la grève. Maïna se fit toute petite et retint son souffle lorsqu'il passa devant elle, si près qu'elle entendit ses grognements satisfaits. Elle attendit qu'il ait complètement disparu avant de bouger, puis elle s'assit pour contempler l'horizon brouillé. La cruauté du jeune homme faisait de lui un bien mauvais Presque Loup. Elle-même ne portait pas cette violence. Mais était-elle une vraie Presque Loup? Les Presque Loups sont des créatures d'action, songea-t-elle. Leur vie est simple

et grave. Ils consacrent toute leur énergie à survivre. La nature et les esprits les éprouvent suffisamment, ils ne se préoccupent pas d'autres
choses. Ils tuent pour manger et se couvrir et
apprivoisent les esprits, car sans ces derniers,
ils sont perdus. C'est tout.

Maïna était différente. Les humeurs du vent
la troublaient, la danse des arbres sous l'orage
l'enivrait de bonheur et il lui arrivait de trembler devant la beauté des lumières boréales.
D'autres spectacles de la terre et du ciel lui
procuraient des moments d'allégresse qui frô-
laient l'enchantement, mais parfois aussi sa
détresse était immense alors même qu'elle
n'avait ni froid ni faim. Maïna s'était déjà con-
fiée à sa cousine. Mastii s'était gentiment moquée
d'elle. Elle n'avait rien compris. Alors Maïna
s'était sentie loin des siens.

Elle se demandait parfois quel étrange esprit
l'habitait. À croire qu'elle était la fille de Tekahera la mystérieuse. Des Presque Loups racon-
taient que Tekahera ne passait pas l'hiver sur
son île. Elle traversait la grande eau et enjam-
bait l'horizon pour basculer dans l'autre monde.
Au printemps, elle revenait. C'est ainsi qu'elle
réussissait à affronter seule le froid et la faim
tout l'hiver. C'est de l'autre monde qu'elle
ramenait les secrets des plantes et toutes ces
paroles envoûtantes.

Maïna savait qu'elle n'était pas née du
ventre de Tekahera. Elle était l'enfant de Mishtenapeu, le plus vrai des Presque Loups, et de

Sapi, une femme sans histoire. Elle souhaita soudain être elle aussi une Presque Loup sans histoire et faire taire tous les orages qui grondaient en elle.

Elle était promise à Saito, un des meilleurs chasseurs de la tribu. À ses côtés, elle aurait moins faim et moins froid que bien d'autres femmes, car Saito lui apporterait des peaux à tanner et de la viande à cuire sur un grand feu. Mais l'idée d'appartenir à cet homme lui répugnait. Elle n'avait d'ailleurs pas envie d'être possédée par un homme, d'attendre dans une tente en cousant des peaux pendant que lui courrait derrière les caribous. Elle voulait chasser. Participer, jour après jour, à cette formidable aventure en se faufilant entre les épinettes pour conquérir elle-même les bêtes qui la nourriraient.

Le soleil s'était enfin levé, la mer brillait doucement. Maïna soupira. Elle ne pourrait s'empêcher d'être différente. La preuve? Cette inexplicable joie qui l'envahissait depuis que le soleil répandait de l'or sur la mer. N'avait-elle pas aussi imaginé que les taches de lumière sautillant sur la grande eau étaient animées? Qu'elles représentaient des êtres minuscules capables de voler et qui la nuit ensorcelaient les poissons? Des créatures fabuleuses qui...

Maïna s'arrêta, surprise et malgré tout amusée de s'être de nouveau mise à rêver. Elle était bel et bien la presque fille de Tekahera, car elle possédait elle aussi, du moins en était-elle presque

Dominique Demers

sûre, le don des récits. Maïna devinait qu'elle aurait pu raconter la légende des Premiers Hommes avec des paroles qui font vibrer le cœur trop sage des Presque Loups et qu'elle saurait trouver des mots pour faire tomber la pluie et souffler la neige, pour allumer des étoiles dans un grand ciel noir et faire courir sur un lac gelé des hardes et des hardes de caribous.

Trois

Le printemps était déjà avancé. Maïna avait cueilli de pleins paniers d'œufs de grives, d'outardes et de lagopèdes et elle s'était régalée de longs poissons aux écailles argentées. Mishtenapeu lui avait offert une peau de caribou aux poils bien fournis afin qu'elle puisse confectionner une tunique à sa taille. Maïna avait réuni les pièces avec des lanières de tendon, perçant patiemment la peau de son alène d'os. Bientôt pousseraient la sarracénie, l'andromède, l'azalée et l'herbe à rosée. Elle irait cueillir des plantes sous la lune avec Tekahera, qui en ferait des potions et des pommades, des infusions et des parfums.

Tekahera permettait désormais à sa presque fille de parcourir la forêt avec elle, d'arracher au sous-bois plantes et racines, de mélanger les herbes, d'extraire les jus, de broyer les écorces. Maïna avait appris à nettoyer une plaie avec des plumes de perdrix et à mêler l'écorce de peuplier aux vesses-de-loup pour cicatriser les blessures. Elle avait aidé Tekahera à envelopper l'avant-bras d'un homme griffé par un ours dans une peau de poisson bleu et attendu

patiemment que les asticots s'y mettent et que
la gaine tombe en pourriture en dévoilant une
belle peau guérie, presque neuve. Maïna avait
mâché des feuilles de lédon pour les appliquer
sur les orteils noirs d'un aîné qui avait pataugé
trop longtemps dans une rivière glacée. Elle
avait appris à réduire une fracture avec un
grand carré d'écorce de bouleau fraîchement
arraché à l'arbre et qui en séchant durcissait,
immobilisant le membre blessé.

Elle avait colmaté des coupures avec de la
gomme fondue, appliqué des pommades d'achil-
lée sur les mauvaises blessures, chauffé la
sphaigne pour soulager les os fatigués, fait ma-
cérer du trèfle d'eau pour apaiser des fièvres.
Elle connaissait désormais les secrets du fiel
d'ours, des rognons de castor et des œufs de
carpe et le pouvoir fulgurant du kalmia et de
quelques autres poisons.

Un matin, peu après la fête des retrouvailles, Maïna s'était présentée, comme chaque
année, au refuge de Tekahera, là où la grève
disparaît dans le sous-bois. L'installation paraissait réduite, mais elle trompait l'œil, car l'abri
donnait sur une vieille tanière, un grand creux
dans la terre où Tekahera entassait de minuscules pochettes, des outres, des panses et des
ballots mystérieux.

À chaque printemps, Maïna montrait à Tekahera les travaux qu'elle avait accomplis durant
l'hiver. Elle avait apporté, au fil des ans, des
peaux décharnées, des guêtres, des mocassins,

une tunique d'hiver, un gobelet d'écorce, des raquettes et plusieurs colliers de plumes, de vertèbres de poissons ou de coquillages. Teka-hera avait un œil redoutable. Rien ne lui échappait. Il suffisait que ses doigts s'attardent sur un tendon un peu lâchement noué pour que Maïna sente monter la honte et se promette de faire mieux au printemps suivant.

Tekahera veillait à ce que sa presque fille apprenne le travail des femmes. Maïna savait gratter et dépiler les peaux. Elle maîtrisait l'art de tanner avec un mélange d'urine et de cervelle rance. Elle savait fendre les tendons pour en faire du fil et coudre les peaux. Elle avait appris à sécher le poisson et la viande, à préparer le pemmican et à monter un abri. Comme une mère, Tekahera lui avait enseigné tous les gestes importants, sauf ceux de l'amour que les petites filles devinent puis découvrent sous les peaux de caribou où dorment ensemble deux ou trois familles. Peu à peu, Tekahera avait aussi initié Maïna aux plantes, guettant son regard, ses réactions et ses gestes avant de décider qu'elle pourrait hériter de son art. À la fin de l'été, lorsque les caribous amorcent leur descente vers le sud, que les sols se couvrent de fruits sauvages et que les Presque Loups se divisent pour les chasses d'automne, Maïna repartait avec de nouvelles tâches à accomplir.

Ce printemps, Tekahera n'avait pas trouvé de défauts. Elle savait pourtant que Maïna avait eu peu de temps pour les travaux de femme, car elle avait beaucoup chassé. Tekahera sourit. Elle-même accomplissait les gestes de l'homme et de la femme. Lorsqu'elle émergeait de son canot au premier soir des retrouvailles de la grande eau, les jambes fortes et le pied léger, son corps protégé par de bonnes peaux, c'est qu'elle avait abattu sa part de caribous, de castors, de lièvres et de porcs-épics.

Mishtenapeu n'avait jamais clairement permis à sa fille de défier le Manitou en tuant elle-même de grosses bêtes. Il avait simplement refusé de s'éloigner trop longtemps de sa petite grenouille. Maïna l'avait suivi et elle en avait profité pour épier les hommes, retenant les attitudes, les gestes, attentive à tous les secrets de la forêt. Au fil des saisons, non seulement avait-elle acquis le savoir des chasseurs, mais elle était devenue rusée comme l'ours, leste et vive comme le lièvre, et surtout elle avait l'endurance des loups. Maïna pouvait marcher nuit après jour, sans broncher, sans faiblir, puisant tout au fond de son être du courage et des ressources que d'autres n'avaient jamais découvertes. Tekahera se réjouissait secrètement du cheminement de Maïna et lorsque celle-ci lui présentait ses trophées de chasse, becs d'oiseaux, pattes de lièvres et queues de renards, elle ne pouvait dissimuler sa joie.

Maïna avait attendu que Tekahera ait inspecté ce qui était de sa gouverne – peaux, vêtements et accessoires – avant de présenter ses deux plus beaux trophées. Tekahera admira d'abord l'oreille d'un caribou que Maïna avait suivi pendant de longues heures derrière Mishtenapeu. Puis, Maïna déroula le précieux ballot qu'elle tenait sous son bras. Un rayon de soleil vint lécher la sombre toison révélant une fourrure dense d'un beau noir brillant.

— Un loup!

Tekahera n'avait pu retenir son cri. La fille de Mishtenapeu était donc bien, comme sa mère adoptive l'avait toujours cru, une Presque Loup choisie.

Maïna avait guetté la réaction de Tekahera. Elle avait senti confusément, au moment de la chasse, que cette fourrure magnifique représentait plus qu'un simple trophée. Elle en avait maintenant la certitude. Elle se souvenait du regard doré du loup et bien qu'elle ne comprît pas encore ce qu'il signifiait, elle décida de ne plus se séparer de cette fourrure.

Depuis le début du jour, Maïna marchait seule, à la recherche d'un buisson de bois-sent-bon des marais, assez haut et bien fourni avec de jeunes rameaux d'un beau brun rougeâtre. Elle le trouva finalement au bord d'une vaste tourbière. Avant d'arracher les lourdes branches, elle étendit sa peau de loup sur le sol humide et offrit son corps au soleil. De puissantes odeurs de racines, de feuilles et de terre l'enveloppèrent. Maïna ferma les yeux et elle s'abandonna aux bruits de la tourbière où nichaient des myriades d'oiseaux et d'insectes.

Elle allait s'endormir lorsqu'un brusque mouvement l'alerta. Maïna promena un regard autour d'elle. La terre n'avait pourtant pas tremblé comme il arrive parfois lorsque le grand maître des caribous trépigne de colère. Des herbes ou quelque petite bête avaient peut-être remué, mais tout était redevenu immobile. Soudain, elle tressaillit de nouveau. Maïna découvrit alors que cela s'était produit en elle. Elle avait ressenti, au creux de son être, une agitation soudaine, mystérieuse, un grand coup de vent, des feuilles affolées, mille remuements annonciateurs d'un bouleversement magnifique.

C'était un signe.

Maïna s'efforça de maîtriser son excitation. Elle arracha soigneusement les branches que réclamait Tekahera, en tirant vers le sol, jamais vers le ciel, comme elle l'avait appris. Elle refusa de courir, soucieuse d'imiter les siens, ces Presque Loups si raisonnables qui savent rester calmes au plus fort des tempêtes.

Elle regagna le campement en longeant la grève. Trois canots, décorés de couleurs qu'elle n'avait jamais vues, étaient hissés sur le sable. C'était chose si rare qu'elle se permit alors de courir. Un événement important se préparait. Les siens avaient d'ailleurs allumé un très haut feu en plein jour, preuve de grand dérangement.

Des hommes inconnus, d'un nombre égal aux doigts d'une main, se tenaient debout devant les flammes. Ils semblaient fourbus mais gardaient le dos droit et le regard fier, subissant sans broncher l'inspection attentive puis l'interrogatoire curieux des Presque Loups. Ils venaient d'îles très vastes où leurs ancêtres avaient toujours vécu. Leur langue ressemblait beaucoup à celle des Presque Loups et ce que les mots ne réussissaient pas à exprimer, les bras, les mains et le corps s'en chargeaient. Quelques printemps plus tôt, ils avaient quitté leurs terres désertées par les caribous. Eux aussi dépendaient des grands troupeaux. Ils avaient traversé la grande eau et atteint une rivière beaucoup plus loin sur la côte, du côté du soleil levant. C'était un large bras d'eau tortueux aux courants violents. Pour en remonter le cours, il fallait des jambes dures et des bras puissants, car les portages étaient longs et le sous-bois si dense que les hommes fonçaient, leur canot sur le dos, avec l'impression de devoir repousser les arbres.

Ils étaient cinq, mais Maïna n'en voyait qu'un. Le plus grand, le plus jeune aussi. Sa veste de peau déchirée révélait un ventre dur. Il portait ses cheveux longs. Son visage était terriblement calme, presque froid. Il eut fait un bon Presque Loup. Ses lèvres, par contre, étaient lourdes et pleines, sa bouche grande et invitante. Mais tout cela perdait son importance lorsqu'on s'accrochait à ses yeux. Ils étaient sombres comme ceux de tous les Presque Loups, mais une foule de reflets changeants naviguaient dans ces eaux profondes. Il y avait, dans ces yeux, des crépuscules et des fourrures de loup, de l'écorce et de la terre, des montagnes noires et des ciels d'orage. Il y avait aussi des histoires à n'en plus finir. On aurait dit que toute son énergie, toute sa joie, sa puissance et sa souffrance étaient concentrées dans son regard. Maïna y lisait les marches interminables, la faim collée au ventre, les terribles nuits de vent et de glace où le hurlement des loups ravage l'âme, les petits matins de soleil et d'espoir et la plainte incessante des esprits qui force aux plus grands dépassements.

Il y avait tant d'images encore... Mais Maïna avait subitement détourné son regard, car il l'avait aperçue, elle, ce corps frêle sous la peau de loup, cette petite femme d'apparence fragile qui pourtant irradiait une force magnifique. Sans doute avait-il aussi vu ses joues brûlantes et son regard tremblant, mais comment deviner l'immense brasier qu'il venait d'allumer?

Il s'appelait Manutabi. Lui et les siens avaient quitté la tribu des îles pour échapper à la famine. Après quelques bonnes saisons, les caribous avaient de nouveau disparu et les carcajous avaient pillé leurs caches et leurs pièges. Plusieurs des leurs s'étaient éteints sans bruit, l'esprit chaviré à force de ne rien manger. D'autres avaient tenté de lutter, mordant dans de vieilles peaux pour tromper leur faim. Pendant tout l'hiver, les corbeaux et les loups s'étaient régalés des cadavres des leurs. Alors

ils avaient fui pour échapper à cette malédiction inconnue, sachant qu'aucun d'eux n'avait
offensé les esprits.

Mishtenapeu avait compris : ils souhaitaient
se joindre aux Presque Loups. C'était une
affaire rare et importante. Mishtenapeu ordonna
qu'on nourrisse les hommes des îles pendant
qu'il se retirerait avec les aînés pour discuter.
Maïna épia Manutabi et les siens. Ils mangeaient
en freinant leur appétit pour ne pas révéler
l'immensité de leur faim. Ils ne semblaient pas
inquiets. Si Mishtenapeu refusait, sans doute
repartiraient-ils seuls vers d'autres rivières avec
l'espoir de trouver femmes ailleurs.

Brusquement, sans réfléchir, Maïna avança
vers eux. Elle ne pouvait tolérer que le jeune
inconnu disparaisse. Elle marcha, la tête haute,
le cœur palpitant, jusqu'au petit groupe qui
s'était isolé pour manger. Manutabi dévorait un
gros morceau de castor. Maïna s'assit devant lui
sans dire un mot. Les autres hommes s'arrêtèrent, curieux, puis mordirent de plus belle dans
la chair grillée.

Manutabi laissa tomber sa viande sur le sol.
Il reconnaissait l'étrange fille à la peau de loup
aperçue dans la foule. Elle était là, devant lui,
comme une offrande. Après tant de jours à
vivre dans le brouillard, la tête pleine de
cadavres, il n'osait croire à cette petite femme
vive et grave qui le guettait de ses grands yeux
de feu. Des appétits d'homme surgirent en lui,
une débâcle secrète survint et une source

chaude, délicieuse, l'envahit. Là, tout de suite, il décida qu'il irait n'importe où, jusqu'au bout de la grande eau, pour cette femme-loup.

En se relevant, beaucoup plus tard, Maïna ressentit une crampe dans son ventre. Du sang allait couler sur ses cuisses, et cette fois elle ne le cacherait pas. Elle irait seule dans la tente des saignantes, annonçant ainsi à tous qu'elle méritait d'être initiée. Comme elle quittait les étrangers, Maïna aperçut Saito tout près. Depuis quand était-il là? Qu'avait-il vu? Maïna chassa la peur et plongea ses yeux noirs dans ceux de Saito. Cette fois, elle ne tremblait pas. Son corps de femme lui appartenait. Il était à elle, Maïna. Elle le dirait à Mishtenapeu, elle le crierait à toute la tribu s'il le fallait. Et si cela ne suffisait pas, elle fuirait vers des îles inconnues, comme Tekahera. Mais elle ne serait pas seule. L'étranger la suivrait. Il le fallait. Elle utiliserait sa parole pour le persuader, ferait tout pour le convaincre, car elle ne pouvait déjà plus imaginer vivre loin de lui.

Quatre

Les femmes n'avaient creusé qu'une fosse.
Maïna serait la seule initiée. Le trou était haut
comme un homme et très étroit. Les aînés
avaient décidé que Maïna y descendrait à
l'heure où le soleil est haut, mais Maïna s'était
quand même levée avant l'aube. Elle avait vu
les dernières étoiles s'évanouir dans le gris du
ciel et les premières lueurs trembler à l'horizon.
En songeant à son initiation, Maïna avait l'impression qu'un aigle immense, surgi de nulle
part, lui tordait le cœur entre ses serres géantes.
Elle ne craignait pas la douleur physique. Elle
avait hâte de s'enfoncer dans la terre et de
prouver à tous qu'elle était robuste, qu'elle
savait dompter son corps et faire preuve de
courage. Maïna avait confiance en sa volonté,
mais elle appréhendait l'épreuve ultime, la
rencontre avec les esprits. Elle redoutait qu'aucune puissance digne de la fille d'un chef ne
s'intéresse à elle, qu'elle soit condamnée à
poursuivre l'aventure de sa vie avec pour seul
parrain l'esprit d'un insecte ridicule ou celui
d'une plante sans vertu.

Un concert d'oiseaux salua l'apparition du

soleil dans un ciel sans nuages. C'était bon signe. Maïna marcha d'un pas alerte jusqu'à la grande eau. Elle sentit bientôt le sable humide sous ses pieds et un brusque coup de vent la fit frissonner. Une volée de fléchettes pénétra sa peau lorsqu'elle avança dans l'eau glacée. Les premières vagues roulèrent sur ses chevilles puis la grande eau s'empara de ses jambes, remonta sur ses cuisses, enveloppa ses hanches. Lorsqu'elle fut immergée jusqu'au cou, Maïna inspira longuement et plongea dans la noirceur de l'eau.

Elle ouvrit les yeux et battit doucement les jambes en tâtant de ses mains le fond mou où s'accrochaient des algues et quelques coquillages. Au bout d'un temps, ses oreilles bourdonnèrent. Puis elle sentit peu à peu un étau se resserrer sur sa poitrine, le besoin de respirer devenait plus pressant. Maïna resta sous l'eau. Elle avait décidé depuis longtemps qu'avant d'être initiée elle irait puiser de l'énergie jusque dans les profondeurs mystérieuses, là où l'eau et la terre se rejoignent dans l'obscurité et le silence.

Maïna ferma les yeux et continua à raser, toujours très lentement, le fond de l'eau. Ses doigts effleurèrent une plante visqueuse, quelques roches, des morceaux d'écailles. Elle s'arrêta bientôt, incapable d'avancer davantage. Elle avait besoin de toutes ses forces pour lutter contre le désir impérieux de remonter à la surface et de respirer enfin. Maïna attendit encore, un peu étourdie, remuant juste assez pour se maintenir au fond.

Ses membres s'engourdirent; la sensation était plutôt agréable, elle avait l'impression de flotter dans un monde hors du temps, où rien ne pouvait l'atteindre. Puis, peu à peu, elle se sentit attirée vers le fond comme si ce sol froid et meuble voulait l'aspirer. Maïna attendit encore, enfonçant ses doigts dans le sable, mobilisant toute sa volonté pour ne pas remonter à la surface. Elle n'avait jamais connu un tel vertige. Au bout d'un long moment, elle oublia enfin la douleur étouffante, l'envie terrible de respirer. On eut dit qu'elle allait dormir. Maïna sentit ses mains lâcher prise, ses doigts courir sur le fond puis flotter doucement. Il était temps de remonter. Elle devait respirer. Tout de suite. Absolument.

Elle émergea brusquement, propulsée par un puissant battement. De loin, on aurait dit un long poisson doré crevant la surface de l'eau. Elle nagea jusqu'à la grève, s'ébroua comme un jeune chien et entreprit de faire naître le feu. Lorsque des flammes s'élevèrent enfin, Maïna offrit son corps transi à la douce chaleur. Elle tordit plusieurs fois ses longs cheveux puis laissa le feu les sécher.

Le soleil poursuivait son ascension dans un ciel d'un bleu extraordinaire. La grande eau scintillait comme si toutes les étoiles de la nuit y avaient sombré. Il était temps de rentrer au campement. Maïna se sentait forte, ses pensées étaient claires, son corps prêt à tout affronter. Avant de repartir, elle étouffa les flammes en lançant de grandes poignées de sable puis, grisée d'eau froide, de soleil et de feu, elle accomplit un geste que peu d'hommes réussissaient. Maïna poussa un long cri strident, appelant le Manitou afin qu'il reçoive son sacrifice en offrande, puis elle sauta sur le brasier fumant et piétina les cendres brûlantes de ses pieds nus.

Maïna revint au campement en mordant sa lèvre inférieure pour ne pas hurler de douleur. À chaque pas, elle devait lutter contre l'envie de se rouler en boule sur le sol en gémissant comme une bête souffrante. Elle réussit à marcher jusqu'à la tente de Mishtenapeu, où des femmes l'attendaient. Elle remit sa pochette magique à Chan, la plus vieille des Presque Loups, celle dont les doigts ressemblaient à de vieilles racines et les yeux à un ciel de pluie, enleva sa tunique puis s'agenouilla afin que les femmes parent son corps pour l'initiation. Quelques-unes remarquèrent la peau rougie et gonflée sous les pieds de Maïna, mais nulle ne dit mot. Avec de petits bouts de charbon de bois, elles dessinèrent d'abord une lune dans le dos de Maïna, puis une rivière à la chute de ses reins et quelques arbres un peu plus loin. Le ciel était vaste. Elles y firent voler beaucoup d'oiseaux.

Les femmes étaient silencieuses. Maïna tenta de deviner le paysage dans son dos. Elle se sentait importante, émue par ces caresses sur sa peau. Les femmes la firent s'allonger sur le sol. Elles tracèrent des étoiles sur ses joues et un minuscule caribou sur son front. Maïna crut qu'elles avaient terminé. Chan s'approcha et elle s'agenouilla péniblement. Du bout des doigts, elle abaissa les paupières de Maïna et se mit à pétrir son ventre et sa poitrine avec une vigueur surprenante. Puis elle souffla doucement sur sa peau pour chasser les mauvais esprits. Des femmes lui remirent un petit bol. Chan murmura une incantation avant d'y tremper un doigt noueux. Elle dessina une grande bête dorée sur le ventre de Maïna. C'est en reconnaissant l'odeur âcre des œufs de carpe pourris que Maïna devina la couleur sur sa peau, mais elle n'aurait pas su nommer la créature dessinée.

C'est en sa qualité de chaman que Mishtenapeu offrit à sa fille un gobelet d'eau chaude où flottaient des feuilles de kalmia, le plus puissant poison. Mishtenapeu tendit le gobelet d'écorce à Maïna en posant sur elle un regard qu'il voulait impassible, mais des lueurs tendres le trahissaient. Maïna frémit. Et si son corps se révoltait? La dose était faible, mais il arrivait que des jeunes filles fortes et bien constituées pâlissent, suffoquent et tournent de l'œil. En reprenant conscience, elles semblaient prêtes à vomir leurs entrailles. Les Presque Loups comprenaient alors qu'un esprit malin s'était emparé de la jeune fille et l'empêchait de lutter contre le poison. Elle n'était jamais initiée, aucun homme ne goûtait son corps, personne ne chassait pour elle. Elle finissait par mourir de froid et de faim.

Maïna avala le poison sans trembler et l'attente débuta. Pour chasser l'angoisse, elle fouilla ses pays intérieurs. Elle y débusqua d'abord quelques lagopèdes, immobiles et tremblants sous les saules. Un lièvre gris, tapi dans les broussailles, bondit soudain, l'œil inquiet. Une ourse courut, ses petits à ses trousses. Puis les loups déboulèrent de nulle part. C'était une meute impossible, immense. Maïna galopa derrière eux, le cœur battant, sans savoir où ils la mèneraient.

Les regards des Presque Loups se tournèrent enfin vers le ciel. Le soleil était haut et chaud, l'aspirante initiée respirait normalement. Ses joues étaient roses, son regard serein. Mishtenapeu donna le signal.

Les femmes formèrent une longue procession pour accompagner Maïna à la fosse. Les hommes devaient rester au campement. Maïna avança lentement mais sans hésiter. Au premier pas, la douleur cuisante à ses pieds s'intensifia, lui arrachant un cri aigu, vite étouffé. Tous les regards étaient tournés vers elle. Le moindre frémissement serait interprété comme une marque de faiblesse. Maïna ressentit soudain la gravité du moment, une vague angoisse monta en elle.

Malgré tout, elle marcha d'un pas ferme devant Mishtenapeu. Les autres étaient réunis en petits groupes. Elle dépassa les aînés puis les hommes de l'âge du chef. Arrivée aux hommes récemment initiés, Maïna concentra son regard sur la montagne derrière. Elle sut qu'elle avait dépassé Saito lorsqu'elle l'entendit imiter la sittelle. C'était un signe clair. Saito rappelait aux autres qu'il avait des droits sur la future initiée. Maïna continua d'avancer, le regard fermé, impénétrable, mais un brusque abattement l'avait envahie. Le rappel de Saito ne l'avait pas troublée, elle s'y attendait. Mais Manutabi ne s'était pas manifesté et Maïna ressentait cruellement son silence.

Un couple de sizerins quitta son bosquet d'aulnes et au même moment un objet roula aux pieds de Maïna. Elle se pencha pour le ramasser. C'était une pierre translucide, de la taille d'un œuf de grive et d'une rare beauté. Maïna n'en avait jamais vue de cette sorte. On eût dit qu'elle avait été taillée par le Manitou tant sa forme était parfaite, ses cassures superbement irisées. Maïna osa tourner la tête. Manutabi était là, tout près. Son regard était d'orage, un ciel lourd de désirs, parcouru d'éclairs magnifiques. Maïna emprisonna dans sa main cette pierre merveilleuse que l'homme des îles lui avait offerte et qui l'accompagnerait durant sa dure épreuve.

La fosse avait été creusée dans un vallon où la végétation était rare. Maïna y descendit en serrant la pierre très fort dans son poing. Lorsqu'elle fut étendue sur la terre humide, le ciel disparut à ses yeux. La fosse étant étroite, elle ne voyait que les murs de terre. Elle remua un peu, tendit le cou, et découvrit enfin un petit carré bleu. Maïna décida que ce morceau de ciel serait Manutabi et elle se laissa envahir par lui.

Lorsqu'elle l'avait aperçu pour la première fois, son univers s'était subitement transformé et, depuis, l'étranger dominait cette géographie nouvelle. Tous les matins, à son réveil, Maïna retrouvait cette présence fabuleuse en elle. Et parfois, lorsqu'elle le voyait, lui, pour vrai, au bord de la grande eau ou émergeant du sous-bois, son cœur frémissait. Elle gardait ses émotions secrètes, devinant que même Mastii aurait ri de la découvrir trop sensible, mais parfois Maïna étouffait dans son silence. Elle était prise d'une formidable envie de crier son nom – MAAANUTAAABI – très très fort, afin que tous les lacs, tous les arbres, toutes les rivières et les montagnes, de la forêt à la grande eau, l'entendent.

Les femmes restèrent jusqu'à la nuit. Avant leur départ, l'une d'elles descendit dans le trou, massa les bras et les jambes de Maïna puis disparut avec les autres. Tant que les femmes avaient été là, tant qu'un morceau de ciel avait flotté au-dessus de ses yeux, Maïna ne s'était pas sentie prisonnière. La nuit avait tout changé. Les bêtes s'appelaient, des cris aigus trouaient le silence. Maïna sursauta lorsque des corbeaux tournoyèrent au-dessus de la fosse en croassant

Dominique Demers

sournoisement. Elle avait à peine bougé, mais un peu de terre était tombée dans ses yeux ouverts. Maïna ne songea même pas à se frotter les yeux. La loi des Presque Loups était claire. Pendant l'initiation, les jeunes filles ne devaient pas simplement s'étendre dans une fosse : elles étaient tenues de rester immobiles. Maïna n'avait plus remué, mais elle s'était sentie affreusement nue, vulnérable, et surtout elle avait compris que l'interdiction de bouger se transformerait bientôt en supplice véritable.

Puis vinrent les insectes et le froid. Maïna se répéta les paroles des aînés. Depuis toujours les Presque Loups subissent leur initiation afin de se découvrir un esprit tutélaire. Et c'est au fond d'une fosse, dans le silence et l'immobilité, que les initiés supplient, attendent et supplient encore, offrant leur peur, leur douleur, leur faim, leur soif au Manitou afin qu'il leur lègue en échange un esprit parrain, un allié pour la vie. Les moins courageux récoltaient des esprits peu puissants appartenant aux roches, aux insectes, aux petits fruits. Les plus forts gagnaient des appuis extraordinaires, l'esprit du lièvre, du castor ou de la loutre. Ou, mieux encore, celui du caribou, de l'ours, de la pluie, des étoiles ou des arbres.

Maïna n'aurait jamais cru que tant de bêtes minuscules habitaient la terre. Des insectes escaladaient ses cuisses, couraient dans son cou, grimpaient sur son nez, buvaient au coin de ses yeux. Elle savait que le Manitou guettait

Maïna

chaque soubresaut de son corps, le moindre tressaillement d'un membre, l'ombre d'un geste. Tout mouvement, aussi faible fût-il, entraînait une perte de pouvoir de l'initié. Et pourtant, à chaque seconde, Maïna devait réprimer le désir de bouger. De chasser ces insectes, de gratter sa peau, de secouer ses jambes engourdies, d'envelopper doucement ses doigts autour de ses pieds meurtris et de se rouler en boule pour mieux lutter contre le froid humide qui la transperçait.

Elle se mit à craindre de succomber très tôt, de quitter la fosse bien avant qu'un esprit vénérable ne s'intéresse à elle. La plupart des jeunes filles tenaient bon pendant deux jours, parfois trois. Saurait-elle en faire autant? Sinon Mishtenapeu aurait honte de sa fille. Tous les Presque Loups sauraient que Maïna avait été faible et Manutabi ne voudrait jamais d'elle. Malgré ses tourments, Maïna finit par s'abandonner à un sommeil lourd, sans rêves. À son réveil, le petit carré de ciel était redevenu bleu et la pierre était chaude dans son poing. Elle avait soif et faim, mais la peur s'était dissipée.

Les femmes revinrent. L'une d'elles nettoya le corps de Maïna puis laissa couler de minces filets d'eau entre ses lèvres. Maïna absorba ces quelques gouttes qui étaient loin de contenter sa soif. Les femmes reprirent leurs chants. Maïna se promit de ne pas avoir peur lorsqu'elles repartiraient et, tout au long du jour, elle réussit à ne pas bouger. Elle dormit peu et rêva beaucoup à son amoureux.

Depuis l'arrivée des hommes de la tribu des îles, Maïna avait à peine échangé quelques paroles avec Manutabi. Il lui avait indiqué où déposer le bois lors d'une corvée, elle lui avait offert du lièvre cuit sur la braise à l'occasion d'un festin. Ils avaient pêché en silence, une nuit, dans des canots voisins, à la lumière des flambeaux d'écorce, sous un ciel parcouru d'étoiles filantes et ils avaient fouillé le sous-bois ensemble à la recherche de bouleaux pour construire de nouveaux canots. Ce jour-là, un violent orage avait surpris leur petit groupe loin du campement. Des arbres étaient tombés, arrachant des cris de frayeur aux enfants. L'un d'eux s'était blessé en courant. Manutabi l'avait porté sur son dos jusqu'au campement, Maïna fermant la marche. Elle avait vécu une randonnée merveilleuse sous un ciel déchaîné, trop heureuse de sentir sa présence si près, pendant si longtemps, pour se plaindre de la pluie démente et des branches qui griffaient ses joues. Elle avançait sans hâte, étirant le temps, et Manutabi s'arrêtait devant d'invisibles obstacles. Il se retournait et la regardait longuement, comme pour capturer son image.

Un matin, Maïna l'avait observé à son insu. Elle s'était éveillée avant le jour et elle avait marché jusqu'à la grande eau pour voir mourir la lune et naître un soleil nouveau. Avant d'atteindre la grève, elle l'avait aperçu, son corps émergeant lentement de l'eau. Maïna avait

Maïna

souvent épié des hommes nus, mais ces corps étaient connus, elle les avait vus vieillir ou grandir, s'épanouir, s'alourdir ou se déformer. Le corps de Manutabi était différent. C'était un vaste territoire, magnifique et nouveau, à explorer, à parcourir, à apprivoiser. Maïna avait senti le désir jaillir dans son ventre et souvent, depuis, elle avait imaginé ce corps nu contre le sien.

Lorsque les femmes repartirent, Maïna se sentait fière et forte, grisée par son propre courage. Son corps lui semblait si lourd qu'elle avait l'impression de s'enfoncer dans la terre moite, de violents élancements parcouraient tous ses membres et des douleurs aiguës lui trouaient le crâne, mais elle tenait bon. Elle se promit alors d'être très brave. Mieux, d'être la plus brave. La fille du chef allait montrer aux esprits qu'elle était différente et qu'elle méritait d'extraordinaires alliés pour accomplir sa destinée. Elle décida de ne plus boire. Le Manitou serait touché et, au campement, les femmes raconteraient que Maïna avait refusé l'eau. Tekahera saurait, Mishtenapeu aussi, et, en découvrant son courage, Manutabi saurait qu'elle pourrait le suivre n'importe où.

Maïna résista magnifiquement à la nuit. Raide comme une morte, elle écouta les bruits du vallon en souhaitant presque que rôde une grande bête. Elle avait envie de prouver sa bravoure, de résister à tout. Les femmes ne manifestèrent pas leur surprise lorsqu'elle refusa l'eau le troisième jour. Cette fois, par contre, elles ne restèrent pas et Maïna dut affronter seule la longue journée. Le ciel gris s'obscurcit et au milieu du jour la pluie se mit à tomber. Maïna y vit d'abord un divertissement. Des odeurs neuves envahirent la fosse et les insectes disparurent. Puis le sol devint boueux et son corps s'enfonça un peu plus dans la vase. Il plut longtemps et Maïna craignit d'être submergée, mais l'averse cessa enfin en laissant une couche d'eau au fond du trou. Maïna gisait dans sa mare, grelottante, le corps maculé de boue. Elle lutta bravement contre l'angoisse et le découragement. Elle qui avait toujours vécu entourée des siens, la nuit comme le jour, découvrait la solitude, l'abandon. Elle se sentait terriblement vulnérable mais tenait bon, fouettée par son désir de se démarquer, d'amadouer les esprits et d'impressionner les siens. Une étrange ivresse l'accompagna malgré tout jusqu'à la tombée de la nuit.

Les femmes revinrent. Tekahera les accompagnait pour la première fois. Peut-être avait-elle été alertée par le refus de Maïna de boire l'eau. Maïna reconnut son chant, sa voix grave et profonde qui se détachait du groupe. C'est elle qui lui offrit à boire. Maïna refusa encore en songeant combien cela était facile et simple. Fermer les lèvres et les maintenir serrées pour que l'eau ne puisse passer. Serrer les lèvres alors même qu'elle avait envie de boire des lacs et des rivières, alors même que l'odeur de l'eau l'étourdissait de désir.

Maïna

Maïna découvrit soudain combien sa faim était atroce, sa soif terrible et son corps affreusement torturé. Un faible gémissement s'échappa de ses lèvres. Tekahera l'entendit. Elle appuya doucement une main sur le ventre de Maïna et attendit que sa presque fille bouge ou parle. Mais Maïna se sentit subitement si faible, si chavirée, qu'elle ne remua pas. Ce désir sauvage d'épater les Presque Loups, de séduire Manutabi et de conquérir tous les esprits l'avait brusquement quittée. Elle n'était plus qu'une petite fille, seule et perdue dans un vide effroyable.

La nuit se transforma en cauchemar. Maïna luttait contre des puissances inconnues. Elle eut souvent envie d'abandonner la bataille mais, alors même qu'elle souhaitait se lever et quitter cette prison de terre, ses forces fuyaient, ses membres refusaient de bouger. Elle se souvenait alors du but de son initiation. Trouver une force alliée, un esprit tutélaire. Pendant trois jours les esprits étaient restés muets. Maïna se vit marcher vers le campement, incapable de cacher sa défaite. Tous devineraient qu'aucun esprit n'avait voulu d'elle.

Elle épia tous les bruits à la recherche d'un signe et glissa plusieurs fois dans des songes brumeux, espérant qu'en ouvrant les yeux elle aurait une vision, mais les esprits restèrent muets. Le jour finit par apparaître. Deux femmes descendirent dans la fosse. Elles massèrent Maïna, versèrent un peu d'eau sur son front, ses bras, ses jambes. Maïna crut deviner un mélange de pitié et de tendresse dans leurs gestes. Lorsque Tekahera lui offrit de l'eau, Maïna ne put empêcher les larmes de glisser sur ses joues, mais ses lèvres ne s'ouvrirent pas. Tekahera se pencha et elle essuya lentement les petites rivières en caressant doucement les joues de sa presque fille.

Au départ des femmes, le ciel était d'un bleu étourdissant. Maïna devinait qu'elle ne tiendrait plus longtemps, mais elle ne savait pas comment rejoindre les esprits. Que pouvait-elle faire de plus que rester immobile dans ce trou noir? Elle ferma les yeux. Quelque chose d'important lui échappait. Le silence des esprits n'était pas sans raison. Soudain, brusquement, comme dans un éclair, elle comprit. Les esprits réclamaient tout. Rien d'autre que sa quête d'une puissance protectrice ne devait compter. Ce que penseraient d'elle les Presque Loups était sans intérêt, la fierté de Mishtenapeu n'avait rien à voir et le désir d'épater Manutabi lui parut tout à coup ridicule. Maïna attendait un signe, une vision, qui marquerait toute son existence. La gloire était sans importance. Seule comptait cette rencontre avec les esprits.

Elle eut honte d'avoir présumé qu'elle méritait un esprit puissant et ne désira plus qu'un simple allié. Comme tous les Presque Loups, elle se contenterait de survivre, d'accomplir sa route le mieux possible, saison après saison, de la forêt à la grande eau, en respectant la loi des siens. Tout le reste était vain.

Maïna

Une douce paix l'envahit. Armée d'un courage nouveau, elle endura encore longtemps la faim, la douleur, la soif. Puis le vent se leva, une simple brise au début mais qui grossit et enfla jusqu'à ce que Maïna ne puisse plus nier qu'il soufflait pour elle. Il rugissait maintenant, lançant de vibrants appels à la forêt, à la mer et au ciel. Maïna sut alors qu'un esprit viendrait. Quelques feuilles et des bouts de branches tombèrent dans la fosse. Le vent s'était déchaîné et rien ne semblait pouvoir l'apaiser. Maïna écoutait, émue et terrifiée, car le vent est la plus grande puissance après le Manitou. Elle savait que le vent est libre. Comme le soleil, il appartenait à tous et ne pourrait être son allié. Mais on eût dit qu'il ordonnait à un esprit tapi dans l'ombre de se révéler. Maïna tremblait dans l'attente de cette révélation.

Soudain, un long hurlement déchira la nuit et fit tomber le vent. Il semblait jaillir d'une forêt lointaine, dense et secrète. Il y eut un silence, lourd de promesses. Le hurlement reprit, foudroyant. C'était un loup, une bête puissante qui appelait Maïna. Elle sentit son corps s'embraser.

Maïna demeura encore longtemps immobile, interdite, trop ébranlée pour bouger. Puis, lentement, elle s'accroupit dans la fosse, heureuse et tremblante, comblée par cet appel. Elle avait souvent espéré ce cri. Tous les Presque Loups rêvaient de l'entendre pendant l'initiation. Ce hurlement signifiait que Maïna était une Presque Loup choisie. L'esprit du loup, le maître de leur clan, la guiderait désormais. Les loups ne la quitteraient plus et sans doute lui confieraient-ils une mission. C'était un grand honneur, mais Maïna devrait prouver, sous chaque soleil, sous chaque lune, qu'elle le méritait.

Ses membres obéirent difficilement lorsqu'elle décida de quitter la fosse. Une fois hors du trou, elle avança timidement, comme un enfant à ses premiers pas, puis, peu à peu, ses muscles se dénouèrent, ses forces revinrent et elle réussit à courir jusqu'à la rivière aux loutres pour enfin étancher sa soif. Tekahera et Mishtenapeu l'attendaient devant la tente du chef. En l'apercevant, lumineuse et magnifique dans la nuit, ils échangèrent un long regard et se séparèrent.

Maïna chancela. Mishtenapeu la rattrapa juste à temps. Il la prit dans ses bras, surpris de la découvrir si légère. Mishtenapeu pénétra dans la tente avec l'impression de tenir un trésor. Il étendit sa fille unique sous une peau d'ours, la plus chaude de la tente. Une pierre roula de sa main. Elle dormait déjà.

Cinq

Peu après l'initiation de Maïna, Mishtenapeu fit construire une tente aux esprits, une simple structure de bois recouverte de peaux, juste assez grande pour qu'il s'y agenouille. La tribu était assemblée pour assister à la cérémonie de la tente tremblante. Mishtenapeu allait négocier avec les esprits. La dernière fois, le chaman avait exhorté les puissances de leur céder des bêtes après plusieurs mauvaises chasses. Il avait réussi à amadouer les esprits.

Cette fois, le chaman voulait sûrement parler au maître des caribous avant la grande chasse d'automne. Durant l'été, les femelles avaient mis bas dans de lointains territoires désolés, mais les hardes allaient bientôt revenir, formant d'extraordinaires cortèges au cœur de la toundra. Les Presque Loups avaient besoin d'aide pour deviner la route des caribous s'ils ne voulaient pas mourir de faim pendant l'hiver.

Mishtenapeu était un bon chaman. Il savait où poster les guetteurs. Cachés derrière les cairns ou grimpés au sommet d'une montagne chauve, ces hommes attendaient l'apparition des bêtes et couraient avertir les chasseurs.

Maïna

Mishtenapeu savait aussi lire dans le tibia d'un castor, la rotule d'un ours ou la mâchoire d'une truite. Il pouvait interpréter les craquelures des os chauffés sur les braises afin de déterminer la route des caribous. Avant de faire construire la tente tremblante, il avait lancé l'omoplate d'un caribou dans le feu. Puis il avait longuement étudié les fêlures et les taches que la chaleur avait révélées, mais il n'avait rien dit. Des aînés avaient récupéré l'os et ils étaient restés perplexes devant la multitude de craquelures courant en tous sens sur l'omoplate.

Mishtenapeu pénétra dans la tente aux esprits. Le silence régna longtemps. Puis, les Presque Loups entendirent un murmure qui se transforma en plainte indéfinissable, si triste, si grave, si déchirante, que tous sentirent leur ventre se tordre. On eût dit que Mishtenapeu se donnait en pâture aux esprits tant sa supplication était ardente.

À genoux dans la tente, les bras appuyés aux pieux, Mishtenapeu pleurait en silence. Ce n'était pas pour préparer la prochaine chasse qu'il avait fait construire cette tente. Mishtenapeu avait une mission plus grave à accomplir. Il était venu supplier les esprits de chasser les puissances malignes de Saito. Depuis des semaines, Mishtenapeu sentait ses forces le trahir. Quelque chose se tramait dans son corps. Aux premiers symptômes, il n'y avait pas cru. Mishtenapeu était fort. À quel mal secret pouvait-il succomber? Mais de nouveaux

vertiges, des douleurs fracassantes et d'inex-
plicables pertes de vision l'avaient amené à
réfléchir à sa mort possible.

Saito devait lui succéder comme lui-même
avait succédé à son ami Nosipatan, l'ancien
chaman. Mishtenapeu appela l'esprit de Nosipatan, le priant de l'assister dans cette terrible
décision. Mais Nosipatan resta muet. Alors
Mishtenapeu supplia le Manitou et tous les
esprits de la terre d'accorder à Saito les qualités
d'un chef et de le débarrasser des puissances
maléfiques. Mishtenapeu avait compris depuis
longtemps que Saito ne ressemblait pas à son
père, le brave Nosipatan, grand chasseur,
chaman et chef. Saito n'était pas un Presque
Loup choisi. Il était habité de rages sournoises
et de détestables envies de puissance. Il ne
savait pas rendre hommage aux esprits et
oubliait souvent que le bien de la tribu dépasse
celui des individus.

Finalement, la tente s'agita, les esprits par-
lèrent. Mais ce qu'ils révélèrent sema la panique
dans le cœur du chaman. Les esprits refusaient
d'intercéder en faveur de Saito. Mishtenapeu se
souvenait de sa promesse à Nosipatan à la veille
de sa mort : enseigner à son fils ce que tout
homme doit savoir, lui donner sa fille s'il en
avait une, et le préparer à devenir chef et
chaman à son tour. Mais comment Nosipatan
aurait-il pu deviner que son fils n'avait ni le
cœur ni l'écorce d'un chef? Mishtenapeu savait
que Maïna, par contre, possédait toutes les

qualités pour lui succéder. Maïna qui depuis des lunes lui adressait ses prières muettes. Sa fille refusait d'appartenir à Saito. Elle savait qu'il ne la laisserait pas chasser, qu'il la féconderait brutalement, la battrait souvent et lui ferait porter de trop lourdes charges. De plus, Maïna désirait le jeune étranger venu des îles, comme lui-même, Mishtenapeu, avait tant désiré Tekahera.

Les Presque Loups n'avaient jamais assisté à une aussi longue et mystérieuse séance. Mishtenapeu avait oublié ses devoirs, sa tribu, les caribous. Tekahera l'obsédait de nouveau. Il la revit, mince et musclée comme Maïna, vive comme le lièvre, forte comme le loup. Ils s'aimaient depuis toujours, s'accouplaient depuis qu'ils avaient appris à imiter les gestes des plus grands en les épiant sous les fourrures. Mais ils étaient cousins et la loi des Presque Loups interdisait les unions de même sang. Au début, cela n'avait pas eu d'importance. Mishtenapeu était promis à Sapi et plusieurs hommes rêvaient de posséder Tekahera. Mais, en grandissant, Mishtenapeu et Tekahera avaient découvert qu'ils n'avaient pas seulement envie de s'accoupler : ils s'appartenaient corps et âme.

Tekahera était prête à braver tous les interdits. Elle ne pouvait s'imaginer vivre sans Mishtenapeu et elle se sentait plus forte que les esprits. Mishtenapeu eut peur de cette femme qui osait défier les puissances. Il se vit soudain, un grand chasseur anéanti par le désir, subjugué par des forces secrètes qui le faisaient courir

Dominique Demers

vers cette femme. Alors Mishtenapeu s'était répété, comme en une incantation, que les Presque Loups naissent pour survivre, qu'ils ont pour mission de chasser en vénérant les esprits, en négociant tous les jours le droit de manger, d'avancer. Comment pouvait-il se laisser gruger par des rêves, des désirs, des élans qui n'avaient rien à voir avec la neige, le soleil, les bêtes, la pluie et le vent? Les caribous ne connaissaient pas ces tourments. Les outardes et les renards non plus. Les loups respectaient de bien pires interdits, car seul le chef de la meute s'accouple. Les autres rongent leur désir. Mishtenapeu décida d'imiter les loups, de dompter ses rages intérieures.

La tente se remit à trembler. Les Presque Loups crièrent, persuadés que leur chef négociait de grandes choses avec les puissances. Mishtenapeu tremblait, tout simplement. De rage, de peur, de désirs. Il s'était revu, annonçant à Tekahera qu'il renonçait à elle, qu'il s'unirait à Sapi. Les siens l'acceptaient comme chef, il était grand temps qu'il prenne femme et il ne pouvait se résoudre à offenser les esprits. Tekahera se doutait qu'il parlerait ainsi, mais elle avait quand même espéré un peu, jusqu'à la toute fin, qu'il choisisse d'aller vers elle. Le regard de Tekahera s'était assombri pendant que Mishtenapeu parlait. Et dès qu'il s'était tu, elle lui avait annoncé qu'elle partait.

Le soir même, Tekahera disparut. Son canot glissa sur la grande eau jusqu'à ce que le brouillard l'engloutisse. Pendant des jours, Mishtenapeu se sentit dériver, vidé de toute force. Il était plus que jamais affamé d'elle, incapable d'exister loin d'elle. Puis, peu à peu, sa nature de Presque Loup l'emporta. Il se remit à chasser, à pêcher et à travailler la pierre. Il calma les bêtes fabuleuses qui grondaient dans ses entrailles et s'unit à Sapi.

Ils dormirent sous les mêmes fourrures mais sans jamais parcourir les mêmes territoires. Sapi avait beau redoubler d'ardeur et de douceur, Mishtenapeu semblait toujours loin, même lorsqu'il reposait sa tête sur ses seins. Deux fois, Sapi accoucha d'un petit homme sans vie. Mishtenapeu y vit un signe. Les esprits le punissaient parce qu'il vivait tel un fantôme à côté de sa femme, incapable de renoncer véritablement à Tekahera.

À la troisième naissance, la petite chose entre les cuisses de Sapi bougea, mais sa mère gisait raide et inerte sur la couche de branches d'épinette. Mishtenapeu comprit que les esprits le punissaient. Ravagé par la douleur et dégoûté de lui-même, il découvrit, trop tard, qu'en l'absence de passion il avait beaucoup de tendresse pour Sapi. Mishtenapeu souhaita mourir.

Il fallut que Tekahera revienne pour qu'il reprenne courage. Tekahera la forte, la grande, la sage, ne quitta pas son île pour venir remplacer Sapi, car elle avait renoncé pour toujours à Mishtenapeu. Elle se glissa dans la tente de son ancien amoureux pour le convaincre de s'accrocher à la vie. En découvrant la petite grenouille qui battait furieusement l'air de ses longues pattes en criant son indignation, Teka- hera comprit que Mishtenapeu abandonnait sa fille. Elle le supplia de ne pas laisser mourir Maïna et offrit de partager avec lui l'aventure de la petite grenouille. Cette promesse réveilla Mishtenapeu. Maïna devint leur trait d'union, leur bien commun.

Mishtenapeu émergea finalement de la tente tremblante. Les Presque Loups reculèrent devant lui. Il semblait encore en transe, habité par les esprits. Il ne dit rien des chasses à venir et quitta le campement à pas vifs. Une multitude de questions l'assaillaient. Avait-il eu raison de renoncer à Tekahera pour respecter la loi des siens? N'existait-il pas d'autres lois aussi impor- tantes, des vérités profondes, viscérales? N'aurait- il pas dû écouter plutôt les bêtes qui glapissaient dans son ventre? Aujourd'hui encore elles tentaient de se faire entendre. Elles lui disaient que Saito ne devait pas diriger la tribu, que rien n'aurait dû le séparer de Tekahera, que Maïna devait obéir à ses élans et courir vers l'homme qu'elle aimait.

Les esprits le puniraient-ils de rompre sa promesse à Nosipatan? Mishtenapeu songea qu'au contraire ils auraient raison de s'aban- donner à la pire colère, de soulever de mons- trueuses tempêtes, s'il livrait sa fille à Saito. S'il étouffait encore une fois ce désir fulgurant qui l'avait poussé vers Tekahera et qu'il reconnaissait désormais dans sa fille.

Mishtenapeu quitta la rive de la grande eau sans comprendre où ses pas le menaient. Autour de lui, les cormorans s'envolèrent dans un brusque frémissement d'ailes. Il marcha jusqu'au repaire de Tekahera. Elle émiettait des herbes séchées de ses longs doigts minces. En apercevant Mishtenapeu, son regard s'affola. Il y avait tant d'années qu'ils ne s'étaient pas retrouvés seuls! Des poussières d'herbe glissèrent entre ses doigts. Mishtenapeu s'approcha. Tout ce qu'il avait cru éteint renaissait avec une force inouïe. Il n'y avait pas de gestes assez grands, assez doux, assez puissants pour traduire ce qui l'animait. Alors il enlaça tendrement Tekahera et ils s'étreignirent jusqu'à ce que leurs tumultes s'apaisent.

Mishtenapeu confia à Tekahera ce qu'il venait de décider. Au prochain feu, il annoncerait que Maïna n'était pas encore prête à prendre compagnon. Il rappellerait aux siens les qualités d'un Presque Loup et les caractéristiques d'un chef en les invitant à chercher parmi eux celui qui, un jour, le remplacerait. Tous comprendraient que Saito était contesté, que le chef doutait de son successeur désigné. La colère de Saito serait terrible, mais Mishtenapeu devait surtout songer au bien de tous les Presque Loups.

Il quitta Tekahera sans savoir s'il sentirait encore, un jour, son cœur battre contre le sien. Absorbé par la tâche qui l'attendait, il ne remarqua pas les asters piétinés et les bosquets de lédon aux branches brisées. Il ne vit pas Saito s'aplatir contre le sol à quelques mètres de l'abri de Tekahera. Il y avait là un creux entre les arbustes où Saito épiait Tekahera des heures durant. Il l'avait entendue livrer ses secrets d'herbes et de racines, expliquer les potions et les poisons à Maïna ; il l'avait vue invoquer les puissances en brandissant des queues de lièvres et des griffes d'ours et voilà que ses longues séances de guet étaient enfin récompensées.

Saito savait depuis toujours que les puissances s'acharneraient contre lui. Des loups avaient dévoré sa mère, morte gelée dans une tempête. Les hommes avaient ramené son corps déchiqueté au campement. À la saison suivante, la glace de la rivière aux loutres avait cédé sans raison en avalant son père. Saito avait compris que les esprits seraient toujours ses ennemis. Mishtenapeu l'avait pris dans sa tente et il lui avait enseigné ce qu'un père transmet à son fils, mais Saito n'était pas dupe. Mishtenapeu n'avait d'yeux que pour Maïna. Saito avait toléré cette injustice jusqu'à cette nuit où Mishtenapeu s'était jeté sauvagement sur lui alors qu'il désirait seulement goûter au corps de sa promise. Cette fois, l'orage avait éclaté en lui, libérant la colère, le dépit et la rage qui couvaient depuis tant d'années.

Depuis, à deux reprises déjà, il avait ajouté des poudres toxiques à la tisane de Mishtenapeu.

Maïna

Il voulait simplement tourmenter ce faux père afin d'apaiser un peu sa propre douleur. Ce qu'il venait d'entendre le poussait à aller plus loin. Il souhaitait que Mishtenapeu souffre beaucoup, mieux, qu'il crève lentement, horriblement. Ivre de vengeance, Saito aurait voulu tuer une bête tout de suite, pour rien, sans même avoir faim, mais il n'avait pas de lance. Sa fureur l'étouffait.

Il prit par le sous-bois pour regagner le campement. C'est là qu'il aperçut Mastii. Elle avait déposé son fils sur un tapis de mousse pendant qu'elle ramassait du bois pour le feu. Saito s'approcha sans bruit. Il la plaqua au sol, ventre contre terre, et la pénétra si brutalement, si sauvagement, que Mastii eut peine à comprendre ce qui lui arrivait. Elle avait connu plusieurs hommes déjà, mais elle n'avait jamais subi un tel assaut enragé.

Saito se détacha enfin, il la retourna sur le dos et lui assena un cruel coup de pied. Il allait frapper encore, mais Napani se mit à hurler et il eut peur. Sa colère tomba. S'ils l'apprenaient, tous les Presque Loups condamneraient son geste. Les hommes pouvaient battre leur conjointe, mais nul ne devait tourmenter une autre femme. Ceux qui contrevenaient à cette loi s'exposaient à d'atroces châtiments. Ils étaient ligotés à un arbre des nuits durant ou, encore, on leur arrachait des ongles pour qu'ils n'oublient pas. Saito acheta le silence de Mastii en menaçant de tuer son fils si jamais elle se plaignait de lui.

Dominique Demers

Ce soir-là, il y eut un grand feu, mais Mishtenapeu ne prit pas la parole. Il se lamentait dans sa tente, terrassé par une forte fièvre. Les Presque Loups dansèrent peu, bien qu'il y eut suffisamment de gibier d'eau et de poisson pour que tous soient heureux. L'air était lourd, les mines sombres. Que s'était-il passé dans la tente tremblante? Qu'avaient donc raconté les esprits pour que le chef se taise, disparaisse, puis revienne se cacher dans sa tente? Ils l'entendaient gémir et divaguer, dire de bien étranges choses aux ours et aux caribous.

Maïna réclama l'aide de Tekahera. Sa presque mère pâlit en découvrant Mishtenapeu brisé par la douleur, les yeux égarés et le visage plus pâle qu'une lune pendant la tempête. Elle comprit que ce n'était pas l'œuvre d'un esprit. Mishtenapeu n'avait pas à craindre les puissances secrètes, il devait se méfier d'un Presque Loup. Tekahera prépara un vomitif et le lui fit ingurgiter, sans succès; le poison agissait déjà. Alors elle broya des herbes, pressa des tiges, émietta des pétales et macéra des racines. Elle pouvait seulement calmer la douleur de Mishtenapeu et espérer que son corps ne cède pas. S'il survivait, elle lui dirait de ne plus jamais boire de liquide qui ne fût préparé de sa propre main, de ne plus jamais manger de viande qu'il n'eût cuite lui-même. Elle lui dirait aussi combien elle l'aimait, pour qu'il n'oublie jamais.

Six

Les caribous tardaient à venir. Maïna attendait, roulée en boule derrière un monticule de pierres. C'était la première fois qu'elle guettait la grande migration d'automne sans son père. D'autres rabatteurs attendaient dans la vallée et sur les sommets, mais Mishtenapeu était encore trop faible pour l'accompagner. Il ne pourrait, comme aux autres chasses, lui décrire d'avance l'arrivée des bêtes, le sifflement des lances ou encore le regard du caribou lorsqu'il sent son intérieur se remplir de sang. Mishtenapeu s'était sans doute intoxiqué en mangeant du poisson mauvais. Tekahera avait juré qu'il s'en remettrait.

Elle avait regagné son île avant que les Presque Loups retournent à la forêt. La veille de son départ, elle avait parlé des mangeurs de viande crue qui ne connaissent rien du commencement du monde et vénèrent les esprits de la grande eau plutôt que ceux de la terre et du ciel. Les Presque Loups avaient ri, comme toujours, de cette extraordinaire bêtise. Puis Tekahera s'était tue et son regard s'était posé sur Maïna.

Maïna savait pourquoi. Elle avait même longtemps espéré ce moment. Mais voilà que tous ces yeux braqués sur elle la rendaient muette. Elle laissa son regard errer parmi l'assemblée. Les Presque Loups attendaient, suspendus à ses lèvres. Elle aperçut Manutabi de l'autre côté du feu, les yeux brillants, avide de paroles lui aussi. Des personnages surgirent soudain et Maïna eut immédiatement envie de peindre avec des mots les tableaux qui se construisaient en elle.

Elle raconta l'histoire d'une enfant des hommes que les loups avaient arrachée au ventre de sa mère. La fillette avait grandi parmi les loups, parcourant d'immenses territoires en chassant le caribou. Lorsqu'elle devint femme, les loups évitèrent les hommes de crainte qu'ils ne la leur ravissent. Un matin d'ennui, alors que la fille-loup fouilllait le ciel de la grande eau, un cormoran vint se poser à ses pieds.

C'était un oiseau immense au plumage d'un noir bleuté. Il avait traversé des cieux inconnus et il était épuisé. La jeune fille pêcha de longs poissons pour lui. Le cormoran dévora tout et, une fois son repas terminé, il caressa douce-ment, du bout de l'aile, le dos de sa protectrice qui se mit à rapetisser et rapetisser et rapetisser encore jusqu'à devenir une minuscule créature, plus petite qu'un merle, écrasée par sa tunique de peau qui était restée grande.

Le cormoran offrit à la fille-loup un vête-ment à sa taille fabriqué avec des plumes d'oi-seaux infiniment douces et lustrées. La jeune fille grimpa sur le dos du grand oiseau et se blottit dans son duvet soyeux. Le cormoran s'envola. Furieux de se faire ravir sa captive, le chef de la meute ordonna aux siens de chasser tous les cormorans et même les geais gris et les corbeaux, mais les oiseaux leur échappaient toujours. Alors les loups abandonnèrent.

Le chef devint très vieux et il tomba malade. Ce printemps-là, un magnifique cormoran vint se poser à ses côtés. Dans ses plumes dormait une toute petite femme que le loup reconnut. Elle se leva, glissa du dos de l'oiseau, avança vers le loup et caressa longuement, de ses mains minuscules, son pauvre museau qui ne savait plus distinguer l'odeur du lièvre de celle du caribou. Le vieux chef mourut peu après ; aucun des siens ne sut qu'il avait revu sa presque fille avant de basculer dans l'autre monde.

À la fin du récit de Maïna, un murmure de surprise avait traversé la tribu. La fille de Mish-tenapeu n'avait pas raconté une légende connue. Elle avait inventé un monde de toutes pièces, juste avec des mots. Pendant qu'elle racontait, le temps s'était arrêté. Les Presque Loups avaient oublié leur fatigue, les chasses à venir, l'hiver déjà si près, les campements à défaire et à reconstruire. Ils s'étaient laissé transporter dans un monde de rêve et souhaitaient tous y retourner.

C'est alors que Saito avait pris la parole à son tour. On aurait dit qu'il prenait ombrage du succès de sa promise. Il raconta une légende de géant cannibale, qu'il modifia pour

Maïna

la rendre encore plus choquante.

Un homme avait épousé sans le savoir une des sœurs du Windigo. Elle réussit à lui cacher sa véritable nature jusqu'à ce que survienne une grande famine. Alors, pendant que son mari courait les bois à la recherche de nourriture, elle commença à dévorer leurs enfants. L'homme la surprit au moment où elle plantait ses dents dans la chair du plus petit après avoir mangé les aînés. Il savait qu'elle le dévorerait lui aussi, alors il se cacha. Elle acheva le dernier enfant sans que son appétit diminue. L'homme attendit encore. Il la vit fouiller la neige en quête de lichen, mais une épaisse croûte de glace recouvrait la végétation. La femme devint obnubilée par la faim; elle n'était plus qu'une bouche béante, écumante, insatiable. Elle croqua dans son propre cœur et mourut.

Maïna se souvenait du sentiment d'horreur qui avait secoué l'assemblée à la fin du récit de Saito. Pour chasser ces souvenirs, elle se leva et scruta les autres cairns. Derrière l'un d'eux, Manutabi attendait, seul lui aussi. Le reverrait-elle avant que la tribu se disperse pour les chasses d'hiver?

Un cri fusa. Le cœur de Maïna bondit. Les caribous arrivaient. Des hardes étaient tout près. Elle ne distingua rien d'abord. Puis, soudain, la montagne s'ébranla comme si elle était vivante. Les caribous dévalèrent la pente abrupte. Le bruit sourd du martèlement des sabots mêlé au souffle rauque des bêtes et au chuintement des fourrures emplit le ciel. Une rivière sombre se répandit dans la vallée. Les andouillers tissaient une gigantesque toile d'araignée percée par les naseaux fumants des bêtes. Des milliers et des milliers de bêtes étaient au rendez-vous, une migration comme les Presque Loups n'en avaient jamais vue.

Manutabi surgit de derrière un cairn et fonça vers les caribous. Maïna s'élança derrière lui. Il se retourna tout à coup et il la vit galoper, ses longs cheveux au vent. C'était trop de bonheur d'un coup. La promesse d'une chasse extraordinaire, cette nuée de bêtes à abattre, et elle, Maïna, si près, si magnifiquement vivante. Il la reçut dans ses bras et l'étreignit comme s'il n'avait que ce bref instant et non toute une vie pour tenir ce corps tant désiré contre le sien. Maïna poussa un cri grêle dans lequel perçait la joie. Le mouvement de foule s'intensifia autour d'eux. Manutabi voulut resserrer son étreinte, mais Maïna glissa comme une rivière entre ses bras. Il la rattrapa aussitôt et courut à ses côtés dans les herbes rousses incendiées par le soleil.

Sept

Il n'y eut pas de chasse miraculeuse. Pendant que le cliquetis des sabots résonnait dans les vallées et les montagnes, le vent du nord, ce traître, se retira soudainement comme sous les ordres du Manitou. Des vents contraires soufflèrent, portant l'odeur des hommes jusqu'aux caribous. Les bêtes se dispersèrent dans une confusion de halètements et de sifflements. La marée sombre s'était dissoute, laissant les Presque Loups pantois.

L'apparition avait été brusque, formidable; l'éparpillement des caribous se fit de la même manière. Le fabuleux troupeau disparut et les Presque Loups ne le revirent plus. Peu de bêtes avaient été touchées par les lances, ces provisions ne dureraient guère. Les femmes prirent grand soin des carcasses pour que rien ne se perde. Tous burent du sang chaud et dévorèrent la moelle des longs os grillée sur des pierres plates. Les langues furent bouillies et les foies rôtis. Les aînées apprêtèrent l'estomac des caribous en mêlant du sang chaud à la bouillie verdâtre formée de lichens semi-digérés et toute la viande fut conservée. Les femmes la séchèrent et la réduisirent en poudre, puis elles préparèrent le pemmican en ajoutant de la graisse fondue et des petits fruits. Dans plusieurs mois, les vessies emplies de cette mixture assureraient peut-être leur survie.

Maïna ne revit pas Manutabi. Il était parti avec quelques hommes dans l'espoir de retrouver une harde et, à son retour, le groupe de Maïna avait déjà entrepris de remonter la rivière. L'hiver fut désastreux. Le pire que Maïna eût jamais connu. Avant que les rivières ne gèlent, ils réussirent à capturer quelques castors et des loutres, puis à la montaison, lorsque les poissons quittèrent la grande eau pour rejoindre les lacs et les rivières, ils ramenèrent un bon nombre de ces animaux frétillants. Mais aux premières glaces, ils chassèrent la martre et l'hermine sans succès. L'hiver s'installa définitivement et les bêtes refusèrent encore de se livrer. Mishtenapeu parcourut la forêt tous les jours, installant des pièges, guettant des proies, mais il était las et revenait presque toujours bredouille. Les chasseurs étaient découragés. Depuis que les caribous avaient disparu, ils redoutaient une malédiction des esprits.

Maïna et Mastii assommèrent plusieurs lagopèdes et quelques porcs-épics et Maïna fabriqua un nombre incalculable de pièges avec des lanières de cuir. Elle enfila sur un pieu le crâne de tous les lièvres qu'elle prit et il fallut bientôt planter un deuxième pieu, mais ces chasses ne suffisaient pas. Sans la viande et la peau de caribou, les Presque Loups étaient condamnés à souffrir. Abattu, inquiet, le groupe se déplaça souvent en quête de meilleurs territoires, laissant derrière lui la structure des tentes et d'inefficaces offrandes aux esprits. À chaque nouveau campement, il fallait tout recommencer. Trouver du bois pour les pieux, dérouler les peaux, creuser le sol, étendre du sapinage, faire naître le feu. Les femmes tiraient péniblement les charges sur la neige durcie pendant que les hommes faisaient semblant de chasser, le cœur n'y étant plus.

Mishtenapeu s'enfonça dans un silence brumeux. On eût dit que son corps n'était pas réparé, qu'il y régnait encore quelque poison sournois. Alors que tous se tournaient vers lui, alors que tous, plus que jamais, comptaient sur lui, il n'était plus qu'un vieux fantôme fatigué. Au milieu de l'hiver, la faim engourdit les Presque Loups ; leurs réserves de pemmican avaient disparu. Épuisés, les hommes cessèrent de chasser et les enfants abandonnèrent leurs jeux.

Le ventre de Mastii s'était mis à enfler avant l'arrivée des caribous. Par une nuit glaciale, elle fut prise de crampes si violentes qu'elle crut sa fin proche. À l'aube, elle accoucha d'une boule de sang puant la pourriture. Maïna vit une femme lancer l'amas de chair putride aux corbeaux. Elle eut mal comme si elle-même venait de perdre un enfant à naître et, secrètement, elle invectiva les esprits, injuria les puissances, leur crachant sa révolte. Quelques jours plus tard, une petite fille bien vivante sortit du ventre d'une autre femme. Sans dire un mot, la mère cueillit cette minuscule chose qui hurlait plus fort que le vent et s'enfonça dans la taïga pour abandonner l'enfant nue à la neige et aux loups.

Ils furent bientôt réduits à grignoter de la tripe de roche, cette plante grise insipide qui provoque des coliques. Les enfants se lamentaient jour et nuit. Puis, un matin de soleil et d'espoir, Maïna tua son premier caribou. On eût dit que la bête l'attendait sur le lac gelé. C'était un mâle énorme à la fourrure magnifique. Ses andouillers n'avaient pas encore repoussé, ses yeux d'un beau brun doux paraissaient démesurément grands. Il était étendu dans la neige, visiblement malade ou blessé. En apercevant Maïna, il tenta de se redresser, soulevant péniblement sa lourde masse, mais ses longues jambes s'écartèrent, incapables de le soutenir davantage, et il s'écrasa dans la neige. Maïna enfonça sa lance dans la région vitale. Elle attendit que le caribou frissonne et se raidisse puis elle lui creva les yeux pour qu'il repose en paix. Maïna organisa elle-même les rations afin que la bête les nourrisse longtemps.

Elle songeait à Manutabi tous les jours. Elle l'imaginait, traquant les bêtes à ses côtés dans cette forêt aux humeurs changeantes, ou encore elle réinventait la nuit auprès de lui. Parfois, pendant un bref moment, elle parvenait presque à sentir la chaleur de sa peau sur son corps transi. À mesure que l'hiver avançait,

Dominique Demers

Maïna découvrait qu'elle ne pourrait plus compter sur Mishtenapeu pour la protéger et organiser sa vie. Si elle réussissait à tenir bon jusqu'à la fin de cette cruelle saison et que Saito la réclamait ensuite, il faudrait qu'elle fuie.

Le soleil reprit des forces alors que celles des Presque Loups déclinaient de nouveau. La neige devint brillante, comme hérissée de fléchettes de feu qui brûlaient les yeux. Un matin, de larges volées d'outardes obscurcirent le ciel. La glace fendit, craqua et creva, libérant l'eau. On eût dit une bête éventrée dont les entrailles noires surgissent. D'instinct, les Presque Loups repartirent vers la côte, un triste cortège d'hommes, de femmes et d'enfants, épuisés, amaigris, malades et affamés, glissa silencieusement sur la rivière aux loutres.

Maïna fouilla souvent le paysage dans l'espoir d'apercevoir la bande de Manutabi. Mais ils approchèrent de la dernière chute sans avoir rencontré d'autres Presque Loups. Maïna fut prise d'épouvante à l'idée que Manutabi ne reviendrait peut-être pas. Elle continua à pagayer, le cœur écrasé entre les serres d'un aigle géant. Ce printemps, exceptionnellement, elle ne portait pas de collier ni de coiffe, ses cheveux n'étaient pas lustrés de graisse, ni son visage dessiné. Si Manutabi était là, s'il l'attendait, il devrait la prendre telle qu'elle était, sauvage et meurtrie sous sa peau de loup.

La grande eau apparut enfin avec ses vagues tourmentées et son écume furieuse. Une lourde fumée s'élevait de la grève. Maïna sentit l'espoir monter en elle telle une marée fabuleuse. À peine arrivée, elle hissa le canot sur le sable et courut jusqu'au feu. Saito écorchait un castor. Il avait hâte de savoir si le dur hiver avait rendu sa promise moins rebelle et si Mishtenapeu se tenait encore debout. Maïna n'eut pas un regard pour lui. Elle aperçut des hommes de la tribu des îles. Manutabi n'était pas parmi eux.

Elle aurait pu interroger les compagnons de Manutabi, mais une peur sourde, tapie dans son ventre, l'en empêchait. Elle quitta le campement, incapable de rester en place, et, au lieu d'errer sur la plage, elle se dirigea vers le cap aux mouettes, gravit la pente raide en toute hâte, comme si une bête la poursuivait, et atteignit le sommet en nage, le souffle coupé, le cœur étourdi.

Vue d'en haut, la grande eau semblait infinie. Elle s'étirait si loin qu'on ne savait trop si là-bas, tout au bout, le ciel se noyait en elle ou si l'horizon l'avalait. Une multitude d'îles flottantes, de fragiles vaisseaux de glace aux contours bleutés, achevaient de mourir en dérivant au gré des vents. Maïna tenta de s'abandonner à cet extraordinaire spectacle mais, au bout d'un moment, l'angoisse et l'espoir l'étreignirent de nouveau, et pour les chasser elle reprit sa course.

Le ciel creva d'un coup, le vent charria de lourdes bourrasques de pluie. Elle continua d'avancer, le visage barbouillé d'eau, sa peau de loup flottant sur ses épaules, battue par le vent.

Dominique Demers

Soudain, elle s'arrêta, alertée par une présence. En se retournant, elle l'aperçut, courant derrière elle. Sa haute silhouette dominait l'espace, son souffle court crevait le silence. Il s'arrêta à quelques pas de Maïna et son regard se posa enfin sur la femme-loup dont il avait rêvé tout l'hiver. Elle paraissait plus frêle, l'hiver l'avait torturée. Manutabi eut mal juste d'y penser. Son visage, plus délicat que pendant le dernier été, était troué par des yeux immenses que les douleurs passées rendaient plus magnifiques encore.

Il semblait si alarmé qu'elle décida de franchir elle-même les quelques pas qui la mèneraient à lui. Elle n'eut qu'à esquisser un geste pour se retrouver dans ses bras. Manutabi lissa ses longs cheveux mouillés et pétrit son dos de ses mains puissantes. Il lui mordilla les oreilles, lécha son cou, puis fit tomber la peau de loup et la tunique de caribou. Ils s'apprivoisèrent longuement, étrangers au vacarme du tonnerre, car en eux grondaient des orages bien plus puissants. La pluie tombait toujours lorsqu'ils s'unirent enfin. Toutes les tempêtes du monde n'auraient pu les séparer.

Beaucoup plus tard, l'averse cessa. Manutabi se détacha doucement de Maïna et contempla sa peau dorée qui brillait sous les gouttes de pluie. Elle somnolait déjà, bercée par ses rêves. Il songea soudain qu'elle n'avait sans doute rien mangé depuis très longtemps. Alors il la cueillit et il la porta comme une enfant jusqu'à son abri.

Huit

Saito dansait à côté de Maïna. Ses pieds martelaient brutalement le sol mouillé comme pour écraser l'insulte. Maïna l'ignorait. Elle semblait danser dans un autre monde où seul existait le jeune étranger venu des îles. Ils étaient séparés par le feu, mais tous devinaient la formidable attirance qui les liait.

Saito lança un premier défi. Il promettait de courir jusqu'à la grande eau, plus vite que tous les hommes. Les Presque Loups furent surpris par cette provocation, car ils ne se sentaient guère vaillants après les rudes épreuves de la dernière saison. Malgré tout, quelques jeunes hommes s'assemblèrent. Manutabi était parmi eux. Mishtenapeu donna le signal de départ. Trois hommes se détachèrement rapidement de la mêlée, mais l'un d'eux se laissa bientôt distancer. Manutabi et Saito avaient devancé les autres et ils couraient maintenant côte à côte. Manutabi s'était promis de laisser gagner Saito, mais grisé par la course et surpris par l'agilité de son adversaire, il voulut s'assurer qu'il était bien le plus rapide. Il accéléra en imaginant que Maïna l'attendait parmi les vagues. Lorsqu'il atteignit l'eau, Saito était loin derrière, foudroyé par une crampe avant même d'avoir atteint la grève.

Saito ne put s'avouer vaincu. Il invita l'étranger à combattre à mains nues. Jugeant la technique honorable, Manutabi se mit à danser devant Saito comme faisaient les siens lors de combats amicaux. Saito fut dérouté par ces déplacements habiles et incessants. Les Presque Loups se battaient sans tant gigoter. Il tenta un coup à l'estomac, mais Manutabi l'esquiva facilement. Saito comprit que l'épreuve serait difficile.

Manutabi se contentait d'éviter les coups. Il devinait la violence sournoise de son opposant et craignait que le jeu ne se transforme en sinistre combat. Les attaques redoublèrent et il fut plusieurs fois durement atteint. La foule criait sans prendre parti, excitée par les déplacements subtils de Manutabi qui transformaient l'épreuve de force en un étrange et élégant rituel. Saito fulminait. Il se sentait diminué par la puissance sereine de ce rival, par sa grande maîtrise et son ardeur contenue. Profitant d'un bref moment d'inattention, il réussit à faire tomber Manutabi, s'abattit sur lui, tira subrepticement un couteau de son mocassin et enfonça la pointe tranchante sous l'oreille de son adversaire. La douleur fit sursauter le jeune homme. La foule retint son souffle, surprise, mais déjà le sang se répandait sur le sol. Saito recula, soudain inquiet de la tournure des événements.

Dominique Demers

Maïna allait courir vers Manutabi lorsque Tekahera apparut. Elle semblait émerger de nulle part, personne ne l'avait vue pagayer depuis son île. L'hiver l'avait vieillie, mais la force de son regard était intacte. Tous reculèrent pendant qu'elle s'approchait du blessé. Elle défit sa sacoche de cuir et extirpa une fourrure délicate qu'elle pressa sur l'entaille. Elle attendit que le sang arrête de couler avant d'appliquer une pâte grumeleuse sur la blessure. Tekahera agissait avec soin et efficacité, mais la tendresse perçait dans ses gestes, car elle savait que cet homme appartenait à sa fille adoptive.

Les danses reprirent, mais Mishtenapeu avait disparu. Maïna le découvrit sous la tente, plus blême que la lune en ce soir d'orage. Une sueur abondante perlait à son front et coulait sur ses tempes. Le sol était souillé de vomissures. Mishtenapeu délirait. Il réclama Tekahera d'une voix pressante. Elle accourut, inspecta longuement son corps, puis demeura silencieuse. Maïna apporta de l'eau réchauffée par une grosse pierre brûlante et elle remplaça le tapis de branches d'épinette. Tekahera la pressa de rejoindre les Presque Loups assemblés autour du feu. Elle avait deviné que Saito tramait quelque chose.

Il avait effectivement pris la parole. Maïna aperçut Manutabi à l'écart, au dernier rang, une main pressée sur sa blessure. Les Presque Loups écoutaient attentivement Saito. Les mots sortis de sa bouche s'insinuaient comme des couleuvres parmi les membres de la tribu. Chacun s'était méfié de lui au début, mais peu à peu les arguments de Saito avaient rejoint leur cœur. Il avait d'abord rappelé l'horrible hiver, parlé des morts, des corbeaux, d'un petit garçon dévoré par les chiens. Puis de la chasse d'automne qui n'avait jamais été si mauvaise. Les esprits réagissaient sûrement à un outrage.

Un murmure d'approbation parcourut le groupe. Pendant les longs mois de faim et de froid, les Presque Loups avaient tous craint la colère des puissances. Saito promena un regard dur et perçant parmi l'assistance. Un homme avait-il goûté au corps d'une femme la veille d'une chasse? Quelqu'un avait-il oublié des os que les chiens auraient rongés? Les Presque Loups restèrent silencieux. Ils avaient beau fouiller, nul ne se souvenait d'avoir été témoin de pareille offense.

— Qu'est-il donc arrivé? aboya Saito. Qu'y a-t-il de nouveau?

Il se tourna alors vers les hommes de la tribu des îles.

— Depuis qu'ils sont venus, le malheur colle à nous comme le loup au caribou, gronda Saito. Les étrangers se plaignent d'avoir souffert d'une grande faim. Qui nous dit qu'ils ne se sont pas entredévorés?

Saito laissa d'horribles images hanter les Presque Loups avant de poursuivre.

— La fureur des esprits est immense, les Presque Loups ont beaucoup souffert sans l'avoir mérité. Quelqu'un a commis une grave offense. Les étrangers ont-ils conclu un pacte avec le géant cannibale? Ou frayé avec les hommes du pays des glaces?

Un lourd silence pesa sur la tribu. Atetshi réclama la parole à son tour. Le père de Mastii rappela aux Presque Loups qu'ils étaient un peuple pacifique, que la migration des caribous était une chose étrange et que ce n'était pas leur première déconvenue. Les étrangers s'étaient joints à eux sur l'invitation du chef, avec l'accord des aînés. Ils avaient piégé, chassé et trappé plus que bien d'autres au cours de l'hiver et sans eux, des femmes et des enfants auraient eu faim et froid encore davantage.

Tous écoutaient, tiraillés par des influences contraires. Il aurait fallu que Mishtenapeu vienne, qu'il prenne la parole à son tour, mais le chef se lamentait dans sa tente comme si des corneilles le becquetaient vivant. Alors la foule se dispersa lentement, chacun espérant trouver un semblant de paix sous les fourrures. Ils remettaient à plus tard leur jugement, mais les paroles de Saito avaient déjà pris racine.

Le lendemain, à son réveil, Mishtenapeu tenta en vain de ramener une fourrure sur son torse nu. Ses mains refusaient d'obéir. Il bougeait ses jambes difficilement, son cou était raide et ses bras engourdis. Maïna observa avec effroi le triste spectacle de son père impuissant. Elle resta figée comme si elle-même était incapable d'ordonner à ses membres de bouger.

Maïna

Lorsque Tekahera se glissa sous la tente avec ses sacoches et ses petits ballots, Maïna remarqua les rides nouvelles qui creusaient ce si beau visage et l'inquiétude qui lui dévorait les yeux. Tekahera la grande, la forte, semblait soudain si vulnérable.

Au lieu de tâter immédiatement le grand corps du chef, elle caressa tendrement son front moite et ses joues trop creuses puis, dans un geste qui surprit infiniment Maïna, Tekahera se glissa sur la couche de Mishtenapeu, posa sa tête dans le creux de son épaule et enlaça ce large torse qu'elle avait si souvent caressé, il y avait tant et tant de lunes. Mishtenapeu gémit faiblement, ses jambes cherchèrent celles de Tekahera pour les emprisonner entre les siennes. Tekahera se souvint qu'il ne pouvait l'étreindre, alors elle prit une de ses mains sans vie et la déposa doucement sur son épaule à elle, puis elle pressa son corps contre celui de cet homme qu'elle n'avait jamais cessé de désirer.

Maïna découvrit qu'au plus profond d'elle-même elle avait toujours su qu'un lien secret unissait son père à Tekahera. Contre qui, contre quoi ces deux êtres avaient-ils lutté avant d'accepter de vivre éloignés alors même qu'ils semblaient s'appartenir si totalement? Elle les épia longtemps, confuse et troublée par la passion qu'elle devinait. Plusieurs fois, elle songea à Manutabi et elle eut peur, terriblement peur soudain, de devoir elle aussi attendre d'être vieille et fatiguée avant de dormir enfin à ses côtés.

Dominique Demers

En sortant de la tente, Maïna fut plongée dans la lumière rose du matin. Le ciel était limpide, l'air tendre et doux. Le campement s'éveillait tranquillement. Des femmes nourrissaient le feu, les enfants couraient déjà, débordants d'énergie. Maïna trouva Manutabi assis sur un couvert de mousse dans le sous-bois derrière sa tente. Le soleil répandait une fine pluie dorée sur le sol. Elle s'approcha doucement. En apercevant Maïna, le regard de Manutabi s'illumina. Il n'avait pas fermé l'œil depuis la veille.

Tant de mots se pressaient sur les lèvres de Maïna. L'angoisse sapait toutes ses forces, ébranlant ses dernières convictions. Elle parla d'abord de son père. Mishtenapeu n'avait sans doute pas été intoxiqué par une mauvaise viande l'été dernier. C'est parce que les puissances grondaient de colère qu'il se lamentait dans sa tente. Elle le revit sur sa couche, incapable de gouverner ses membres. Le chef des Presque Loups n'était plus protégé par les esprits. Tous les malheurs pouvaient désormais survenir.

Maïna éclata en sanglots.

— Pourquoi? POURQUOI? cria-t-elle en martelant désespérément la poitrine de Manutabi de ses poings.

Il attendit que passe la tempête. Réfléchit longuement. Chercha les mots. Alors seulement, il osa dire ce qui lui semblait juste.

— Nos souffrances ne sont pas toujours une

punition des puissances, déclara Manutabi d'une voix grave.

Pour la convaincre, il fit valoir que, de la même manière, les bêtises des hommes n'entraînaient pas chaque fois la colère des esprits. Maïna buvait ses paroles. Le mal de Mishtenapeu semblait si inquiétant, si mystérieux aussi, elle était prête à tous les sacrifices pour amadouer les esprits. Mais Manutabi avait peut-être raison. Les puissances n'étaient pas toujours en cause.

— Le corps aussi a ses saisons, dit-il encore.

Maïna soupira. Elle pouvait accepter que son père souffre et même qu'il soit gravement atteint, seule la colère des esprits lui était insupportable. Comment trouverait-elle la paix si son père mourait frappé par la malédiction des puissances? Mishtenapeu devait à tout prix garder la protection du Manitou, car sans son aide nul ne peut accomplir le grand voyage jusqu'à l'au-delà.

Les esprits ne sont pas toujours responsables, se répéta Maïna, un peu rassurée sur le sort de son père. Elle osa alors confier à Manutabi son projet de fuite. Elle lui dit tout le dégoût que lui inspirait Saito. Pour lui échapper, elle se sentait prête à fuir les Presque Loups, ses frères, à renoncer à la présence enveloppante de Tekahera, à la douce amitié de Mastii.

— Mishtenapeu me pardonnera de le quitter, dit Maïna tout haut mais en tentant elle-même de se convaincre que cela était bien sa voie. Il

Dominique Demers

ne m'a pas appris pour rien à épier les grandes bêtes, à viser net et à abattre proprement. Il aurait honte que je vive dans l'ombre de Saito. Il sait que son âme est plus noire que le fond d'une tanière.

Manutabi était prêt. Il rêvait depuis si longtemps de partir avec elle, de tout recommencer à neuf. Il avait même échafaudé un plan, espérant qu'un jour elle accepterait de le suivre. Il avait songé aux préparatifs, anticipé les difficultés, réfléchi à la meilleure route. Le mieux serait de remonter le cours de la rivière que lui et les siens avaient choisie en arrivant sur la côte.

— Les Presque Loups ne connaissent pas cette rivière, dit Manutabi. Je sais où sont les caches, l'eau vive, les portages. Là-bas, nous serons en sécurité.

Il faudrait préparer du pemmican, apporter des raquettes, des peaux, des outres, des lanières de tendon et de racines, deux couteaux, un arc-à-feu, quelques lances... Maïna l'écoutait comme s'il était déjà son compagnon pour toujours. Elle était arrivée près de lui le cœur tordu, l'âme égarée, et voilà que l'espoir affluait de nouveau. Manutabi proposa de construire un canot à l'abri des regards. Il ferait semblant de pêcher derrière la pointe de la petite rivière aux truites et reviendrait avec peu de prises, car il travaillerait à l'embarcation. En faisant vite, il aurait terminé avant le nouveau cycle de la lune. Saito ne réclamerait pas sa promise tout de suite, croyait-il. Il savait qu'elle résisterait. Pour ne pas subir cet affront devant tous, il attendrait que la tribu se redivise pour les chasses d'automne.

Maïna suggéra qu'ils prennent simplement un de leurs canots, mais Manutabi refusa. Il fallait que les Presque Loups les croient partis à pied.

— La colère de Saito sera terrible, avertit Manutabi. Il fouillera la forêt, mais nous serons déjà loin.

Manutabi voulait qu'ils naviguent de nuit sur la grande eau, afin que nul ne les aperçoive de la berge, jusqu'à ce qu'ils aient atteint la rivière qu'il cherchait. Après, ils croiseraient sûrement d'autres membres de la tribu des îles. Plusieurs avaient promis de se rejoindre près des caches une fois qu'ils auraient repris des forces. Ils ne seraient pas seuls.

— Tu ne mourras pas de faim, promit-il.

Maïna éclata d'un grand rire.

— J'ai toujours capturé ma part de lièvres, de porcs-épics et de lagopèdes. Seule, j'ai tué un loup et un caribou. Je partirai avec toi mais à condition de chasser moi aussi, dit-elle d'une voix forte et ferme.

Et, encouragée par le regard tendre de Manutabi, elle lui dit encore comme elle avait hâte d'abattre son premier ours, d'attendre longtemps, derrière un cairn, que la montagne se couvre de caribous, de suivre des meutes de loups sur la piste des grandes bêtes, de lever des pièges dans le silence délicieux du petit matin et, à la brunante, de pêcher des poissons aux écailles brillantes. Toutes ces chasses, toutes ces pêches, elle rêvait de les vivre à ses côtés.

Manutabi n'avait pas l'habitude de tant de paroles. Les siens étaient peu bavards, comme d'ailleurs les Presque Loups. Et lui, Manutabi, ne possédait pas ce don de Maïna pour les mots. Il aurait souhaité lui expliquer que, lorsqu'il l'avait aperçue la première fois sous sa peau de loup, il l'avait voulue tout de suite en devinant bien qu'elle était différente. Il ne l'avait pas désirée seulement pour ses jambes de faon, ses seins menus couleur sable et son regard de feu. Il la voulait à ses côtés parce qu'elle lui semblait aussi rare et précieuse que les pierres trouvées par-delà d'infranchissables montagnes. Maïna était unique, lumineuse... Manutabi cherchait les mots mais aucun ne semblait convenir, alors il se tut et laissa son corps exprimer tout ce qu'il n'avait pas su dire.

Neuf

Même la douce Mastii s'était moquée de Manutabi.

— Tu es plus paresseux qu'une marmotte! lui avait-elle lancé alors qu'il rentrait à la brunante avec ses quelques carpes.

Chaque fois qu'on lui reprochait ses maigres prises, Manutabi prenait un air contrit, comme si, tout au long du jour, il avait rêvassé en contemplant le ciel. Sous cette apparente nonchalance, il dissimulait une grande fatigue, car il travaillait sans répit, mû par un sentiment d'urgence. Le canot avançait bien. Il n'avait pas eu de mal à trouver un bouleau au tronc large et à l'écorce lisse, sans trop de nœuds. L'embarcation qu'il partagerait avec Maïna serait comme il l'avait souhaité.

Les Presque Loups s'amusaient de la déveine de Manutabi. Malgré les paroles accusatrices de Saito, la plupart d'entre eux ne manifestaient pas de véritable hostilité envers les nouveaux venus et, en cette saison d'abondance où la nourriture était à portée de main, chacun avait le droit de paresser un peu. Ils s'étaient tous délectés d'œufs crus et de poisson et il y avait

presque toujours du castor ou du porc-épic.
Sinon ils tuaient des mouettes ou des lagopèdes.
Rien ne semblait grave ou urgent. D'ailleurs,
les nuages de moustiques voraces parvenaient
à miner l'ardeur des plus vaillants.

Maïna ne s'était pas retrouvée seule avec
Manutabi depuis qu'ils avaient arrêté leur plan
de fuite. Chaque fois qu'elle le voyait quitter le
campement ou y revenir, Maïna sentait la vie
refluer en elle. Le reste du temps, elle luttait
contre l'abattement, car l'état de Mishtenapeu
ne s'améliorait guère. Son corps ne supportait
plus aucune nourriture, la fièvre ne le quittait
presque plus et il était rarement lucide. Maïna
l'avait entendu confier de bien étranges choses
au renard, au loup et au caribou. Il parlait trop
au vent.

Un matin, Mishtenapeu l'appela. Maïna s'agenouilla à ses côtés, curieuse et empressée. Il
voulait parler, mais les esprits semblaient lui
refuser cette grâce. Sa bouche se tordait et les
rares mots qu'il réussit à prononcer com-
posèrent des messages décousus, incompréhensibles. Le visage du chef était creusé par la
douleur et Maïna n'aurait su dire si c'était dans
son grand corps ou dans son âme que son père
souffrait davantage. Mishtenapeu s'acharna et,
au prix d'efforts immenses, il réussit à expliquer
à Maïna qu'il désirait lui remettre un objet. Sans
plus de cérémonies, il lui légua son ballot
sacré, cette pochette de peau de caribou qu'il
avait reçue de l'ancien chaman et qu'il aurait

Dominique Demers

dû remettre à Saito. Maïna comprit que Mishtenapeu reniait son fils adoptif, qu'il refusait de voir en lui le prochain chaman.

Pour le reste, Maïna se sentait perdue. Qu'est-ce qu'elle, Maïna, pouvait bien faire de ce petit paquet de trésors aux vertus secrètes qui permettait au chaman d'appeler les bons esprits et de chasser les mauvais, de négocier avec le grand Manitou et de deviner la route des caribous? Mais son père la suppliait du regard, alors elle fit mine de comprendre et le remercia de sa confiance.

— Maïna... ma... fi... fille... loup, scanda péniblement Mishtenapeu.

Maïna fut émue par ces mots. Elle n'avait jamais révélé son esprit tutélaire, car cela était interdit. Mais Mishtenapeu avait deviné, sans doute parce qu'il frayait depuis si longtemps avec les esprits, et il avait tenu à le lui dire, perçant ainsi une brèche dans la solitude de sa fille. Il semblait soulagé, presque détendu. Son regard ne trahissait plus qu'une grande lassitude. Mishtenapeu inspira profondément puis il adressa à sa fille une terrible requête. En l'écoutant formuler difficilement son vœu, non pas parce qu'il hésitait mais parce que le Manitou continuait de l'éprouver, Maïna tressaillit. Pourtant, elle n'était guère surprise.

Elle aida son père à se relever et à tenir sur ses pauvres jambes affaiblies. Elle repoussa les peaux qui dissimulaient l'ouverture de la tente et franchit le seuil. Tekahera était là. Elle les

attendait. Maïna songea alors que sa mère adoptive était peut-être bien un peu sorcière.

Mishtenapeu réussit à marcher droit, sans
aide. Seuls les esprits surent ce qu'il lui en
coûta de courage et de volonté. Maïna l'entendait souffler, siffler, haleter, mais les Presque
Loups qui virent leur chef se diriger d'un pas
ferme vers la vallée étroite où sa fille avait été
initiée ne purent deviner que Mishtenapeu était
terrassé par la douleur, que chacun de ses pas
était un supplice, chaque battement de cœur
une victoire. Comme tant de braves, il avait
choisi de s'éteindre dans la dignité, loin des
regards. Il serait content de nourrir les loups,
mais il n'acceptait pas d'être diminué davantage. Il souhaitait mourir rapidement et de
manière foudroyante. Comme un chef.

Maïna avançait dans un brouillard, les
jambes molles, l'œil hagard, en se répétant la
promesse qu'elle s'était faite avant de franchir le
seuil de la tente. Elle accomplirait son devoir
honorablement. La requête de Mishtenapeu était
claire. Maïna lui épargnerait les paroles inutiles,
son père n'aurait pas à supplier. En attendant
l'horrible moment, elle avait l'impression de
marcher en repoussant des montagnes.

Ils arrivèrent finalement à ce petit territoire
désolé, au pied des collines, où les arbres refusaient de pousser. Maïna se tourna vers Tekahera, mais sa presque mère regardait droit
devant elle, étrangère à tout. Un renard roux
détala vers sa tanière, alerté par le bruit de

leurs pas. Les geais gris piaillèrent et sifflèrent dans l'air doux du petit matin pour protester contre l'intrusion. Le cœur serré, Maïna reconnut la fosse où elle avait livré sa plus terrible lutte.

Mishtenapeu ne lui laissa pas le temps de tergiverser. Il se laissa tomber à genoux à quelques pas de la fosse, visiblement épuisé par la randonnée. Ses bras pendaient mollement de chaque côté de son corps et ses mains traînaient sur le sol moussu. Maïna admira le dos large de son père. Il avait porté tant de ballots de peaux, tant d'enfants, tant de vieillards, tant de canots. Maïna empoigna fermement la lance qui lui avait servi de bâton de route et elle recula de plusieurs pas, prête à bondir. Mais brusquement, au dernier moment, ses forces l'abandonnèrent et elle resta clouée sur place, pétrifiée. Son cœur cognait furieusement.

Le soleil disparut derrière un collier de nuages. Les oiseaux avaient fui. Maïna perçut une plainte lointaine que d'autres auraient sans doute attribuée au vent. Elle reconnaissait l'appel et savait que le vent n'y était pour rien. Elle se recueillit, elle avait encore besoin de temps.

— MAÏÏÏÏNAAA!

Mishtenapeu avait crié. Sans colère. Le père avait lancé un ordre, tout simplement. Maïna ferma les yeux et supplia les loups de l'assister.

— Avec ma seule force, avec mon seul courage, je suis incapable, murmura-t-elle d'une voix brisée.

Maïna

Ses paroles se perdirent dans l'effroyable silence. Alors elle cria, à tous ces loups qui l'épiaient, l'entendaient, la jugeaient. Elle cria, les suppliant de l'aider, d'une voix si déchirante que les pierres, sûrement, frissonnèrent.

Les mots, cette fois, semblèrent atteindre leur cible. Maïna courut en brandissant sa lance. Elle n'était plus la fille du chef, l'enfant apeurée, ahurie, mais un simple chasseur affamé, brûlant du désir de tuer. Elle imagina un caribou endormi au milieu d'un lac gelé, une masse brune recroquevillée, projeta sa lance de toutes ses forces, visa juste et abattit la bête du premier coup.

La proie tressauta et s'allongea sur le sol, presque doucement, sans pousser un seul cri. Il y eut ensuite un dernier jaillissement de vie. L'animal frémit, comme une eau calme que le vent soudain excite, avant de s'immobiliser complètement. Un ruisseau rouge et tiède s'échappait déjà du cadavre.

Maïna s'avança et retira sa lance. Elle ne se sentait guère plus vivante que la triste masse à ses pieds. Elle retourna le corps, vit les yeux résignés, la bouche tordue dans un dernier instant de douleur, et songea, comme si elle venait tout juste de le découvrir, que sa lance ne s'était pas enfoncée dans le flanc d'un caribou.

Pour échapper au désarroi, à la folie, Maïna plongea dans sa forêt intérieure. Elle espérait mieux respirer sous le couvert de ces arbres, mais un ouragan déracinait les épinettes, les troncs volaient en éclats, les branches s'éparpillaient comme des braises soufflées par le vent. Il n'y avait pas de refuge.

Dix

Pendant que Mishtenapeu marchait vers la mort, Manutabi travaillait sans répit, avec une ardeur qui croissait à mesure que le soleil grimpait dans le ciel. Il avait déjà perforé l'écorce avec un poinçon de pierre et cueilli de longues racines d'épinette blanche qu'il avait épluchées, fendues et assouplies pour en faire de bonnes lanières, souples et résistantes. Depuis l'aube, il fixait l'écorce aux plats-bords de bois avec ces liens. Une angoisse sourde, que la tâche n'arrivait pas à dissiper, lui collait au ventre.

Manutabi songeait aux terribles événements qui avaient mené à l'éparpillement de sa tribu, à cette inexplicable rage qui s'était emparée des siens, à tous les secrets qu'il n'osait pas partager avec Maïna. Son passé lui pesait, les longues journées de travail acharné aussi. Le canot serait bientôt prêt, mais il n'en pouvait plus d'attendre. Il avait envie d'appuyer tout de suite sa tête lourde contre la frêle poitrine de Maïna et de se laisser griser par son odeur de femme. Il avait tant besoin de sentir son corps tendre et chaud contre le sien. Un bruit sec l'arracha à ses rêveries. Il venait de casser une

précieuse longueur de racine en tirant beaucoup trop fort sur un nœud. Manutabi lança
rageusement le bout de lanière et décida de
rentrer au campement même si le soleil n'avait
pas encore accompli la moitié de sa course.

Assemblés autour du feu, les Presque Loups
écoutaient Saito. Un homme des îles raconta à
Manutabi les événements du matin. Saito avait
incité les chasseurs à rester au campement. Ils
avaient mangé des restes de castor et longuement fumé des herbes séchées roulées dans de
l'écorce. Puis, Saito avait parlé. Il avait dit son
admiration pour Mishtenapeu, son père adoptif, qui était trop malade désormais pour leur
servir de chaman et de chef. Cette tâche lui
revenait désormais. N'avait-il pas tout appris de
Mishtenapeu? N'était-il pas le fils naturel de
Nosipatan, qui avait été chef et chaman avant
Mishtenapeu?

Saito avait ensuite rappelé aux Presque
Loups combien le mal de Mishtenapeu était mystérieux. Pourquoi donc les esprits s'acharnaient-
ils contre leur chef? Un murmure avait parcouru
l'assemblée. Saito avait poursuivi, semant
habilement les doutes. À l'arrivée de Manutabi,
il s'apprêtait à cracher sa révélation.

— Tekahera est responsable du mal de
Mishtenapeu, annonça Saito.

Il disait avoir fait cette découverte pendant
la nuit au cours d'une longue séance de divi-
nation. Tekahera avait toujours convoité Mishtenapeu, rappela Saito, et les vieux se souvinrent

de la passion entre Mishtenapeu et sa jeune cousine. Saito soutenait que Tekahera n'avait jamais renoncé à son ancien amoureux. C'est par dépit qu'elle avait fui vers son île. Là-bas, elle avait conspiré avec les mauvais esprits pour empoisonner l'existence du chef. N'avait-il pas perdu plusieurs fils mort-nés? Sa femme n'avait-elle pas disparu sans raison vers le royaume des esprits? Tekahera s'était aussi emparée de Maïna, affirma Saito. Elle lui avait insufflé des idées contraires à la loi des Presque Loups et depuis quelques saisons elle tentait de l'éloigner de la voie tracée par le Manitou. Les Presque Loups comprirent que Saito faisait allusion à leur union, à laquelle Maïna semblait vouloir échapper.

Le jeune homme avait bien préparé son discours. Ce qu'il racontait était crédible et convaincant. Chaque argument s'insérait parfaitement dans l'ensemble, comme les os d'un squelette qu'on s'amuse à reconstituer. Les Presque Loups commençaient à croire que Tekahera la mystérieuse avait bel et bien attiré la malédiction des esprits sur Mishtenapeu et sur eux.

— La puissance de cette sorcière est grande, prévint Saito.

Lui-même avait tenté de lutter contre ses pouvoirs maléfiques afin de guérir Mishtenapeu, mais les esprits ne l'avaient pas entendu. Aucun chaman ne pourrait agir tant que, dans l'ombre, une Presque Loup frayerait avec les puissances néfastes. Il fallait agir vite, sans quoi la malédiction atteindrait toute la tribu. Saito scruta longuement son auditoire avant d'oser révéler son plan. Pour rétablir la paix avec les esprits, il extirperait le mal du corps de Tekahera en pratiquant une saignée très sévère qu'il disait avoir apprise de Mishtenapeu.

Manutabi n'attendit pas la suite. Il avait été témoin de batailles sauvages et il avait connu des hommes aussi mauvais que Saito. La cruauté avait une odeur qu'il savait reconnaître. Atetshi n'était pas dans l'assemblée, Maïna et Tekahera non plus. Il n'y avait personne pour tenir tête à Saito. Ce faux chaman avait bien préparé son coup. Des Presque Loups avaient vu leur chef, accompagné de Maïna et de Tekahera, se diriger vers le vallon où Maïna avait été initiée. Manutabi prit par le sous-bois pour ne pas être aperçu. Il fallait alerter Tekahera, elle saurait comment agir. Manutabi avança à grandes enjambées. Il avait oublié sa faim de Maïna, sa fatigue, ses désirs. Plus rien ne comptait, sinon l'urgence d'arrêter Saito.

Pendant qu'il courait vers elles, Maïna et Tekahera s'étaient rapprochées du campement mais en longeant la côte. Avant même qu'elles puissent s'étonner de voir tant d'hommes et de femmes rassemblés au beau milieu du jour, des complices de Saito les surprirent par-derrière. L'un d'eux, muni d'un lourd bâton, assena un coup brutal derrière les jambes de Tekahera, qui tomba. Maïna voulut se ruer vers elle, mais un homme la retint. Elle se débattit furieusement, mais la prise de l'homme était solide. Lorsqu'il la libéra enfin, Tekahera avait disparu depuis un bon moment, emportée par ses agresseurs.

Maïna courut jusqu'au feu où les Presque Loups étaient encore rassemblés. À peine arrivée, elle entendit un hurlement atroce qui semblait surgir du ventre de la terre. Une vague d'horreur la submergea. Les cris se répétèrent, étouffés cette fois. Maïna se sentit glisser dans un trou noir. Pour s'empêcher de sombrer, elle chercha Manutabi dans la foule. Son regard rencontra celui des jeunes hommes qui gardaient la tente de Mishtenapeu. Maïna comprit que Tekahera était là. Les cris se transformèrent alors en une plainte insoutenable.

Maïna avançait vers l'abri de peaux lorsque Saito en sortit, pâle et hagard. Il aurait dû tenir dans ses mains le couteau à saignée, cette fine lame d'os fixée à un court manche. À son poing pendait plutôt un gros couteau de pierre qui servait à dépecer les bêtes. Saito semblait faire d'immenses efforts pour contrôler son agitation. Maïna reconnut la flamme cruelle dans ses yeux de carcajou et elle y découvrit aussi une lueur de dégoût. Il avait ce même regard, enfant, lorsque, après une flambée de colère, il découvrait soudain la gravité des gestes qu'il avait commis. Saito ordonna à deux femmes de soigner immédiatement Tekahera.

— Le corps de Tekahera a été purifié, parvint-il ensuite à annoncer.

Il ajouta que les mauvais esprits s'étaient

acharnés, que malgré ses incantations la saignée avait été difficile. Une femme sortit alors de la tente, visiblement chavirée. Elle réclamait une bonne brassée d'écorce d'aulne rugueux et beaucoup d'eau. Les Presque Loups comprirent qu'il fallait arrêter le sang. Maïna émergea de sa torpeur. Elle se rua dans la tente avant qu'on puisse l'arrêter. Tekahera gisait, inconsciente et nue, dans une mare de sang. Saito n'avait pas pratiqué une saignée. Il avait charcuté sauvagement le beau corps de Tekahera. Ses membres étaient profondément tailladés et le sang coulait abondamment.

Maïna dut lutter pour ne pas défaillir. Un sentiment d'urgence lui permit de tenir bon. Elle imagina Tekahera, grande et forte, devant cette femme massacrée. Tekahera ne se serait pas satisfaite d'une brassée d'aulne rugueux appliquée en cataplasmes. La pauvre femme avait déjà perdu beaucoup de sang, son visage était livide, ses yeux révulsés. Maïna s'approcha doucement. D'une main inquiète, elle chercha les battements d'aile dans le cou et découvrit une pulsation fragile. Maïna fit couler de l'eau sur le front de Tekahera et souffla sur son visage. Elle attendit un peu puis recommença, jusqu'à ce que les prunelles chatoyantes de sa mère adoptive s'animent enfin. C'était comme allumer un feu. Il fallait patiemment faire jaillir une première étincelle puis s'acharner pour la maintenir en vie avant d'espérer plus.

Pendant que deux femmes pressaient

fermement le côté blanc de l'écorce sur chaque blessure, Maïna en envoya d'autres cueillir un plein panier de feuilles de lédon qu'elles devraient mâcher et réduire en pâte avant de l'étendre sur les plaies. Elle chargea aussi Mastii de ramener un ballot de feuilles séchées du repaire de Tekahera pour préparer une infusion tonifiante. Il fallait aussi éloigner la fièvre avec d'autres herbes et récolter beaucoup de gomme d'épinette pour prévenir l'infection. Maïna donna des ordres clairs et des femmes partirent vers le sous-bois. Il n'y avait rien d'autre à faire. Maïna espéra seulement que Tekahera n'aurait pas agi autrement. Elle considéra le corps mutilé, les femmes qui s'affairaient autour et quitta prestement la tente.

Une révolte terrible, monstrueuse, grondait en elle. Un torrent venait d'éclater dans les replis secrets de son être et cette force neuve jaillissait, prête à fracasser les rocs, à éventrer les montagnes. Maïna grimpa sur une pierre près du feu principal et observa les hommes, les femmes et les enfants qui s'approchaient sans bruit. Ils semblaient las, abrutis, désolés et perdus.

— Mishtenapeu n'aurait jamais fait ça, lança-t-elle en étouffant sa rage.

Les Presque Loups restèrent silencieux. Alors, Maïna explosa.

— N'avez-vous rien dans le ventre? cria-t-elle, déchaînée. Vous vous laissez porter par tous les vents. N'importe qui peut se lever et vous gouverner. Ne croyez-vous donc en rien? Les loups n'agiraient jamais de la sorte.

Les femmes baissèrent la tête, les hommes fuirent le regard de Maïna. Ils ne savaient plus quoi penser. Saito était-il mauvais? Ils n'avaient pas vraiment envie d'y songer. Les paroles qu'il avait prononcées semblaient justes. Les Presque Loups ne savaient pas encore que Mishtenapeu avait rendu l'âme, mais ils se doutaient bien que ses forces l'abandonnaient. Saito acceptait son héritage de chef et de chaman. Qui d'autre, sinon, assumerait ce rôle? C'était dans l'ordre des choses. Maïna comprit qu'elle ne réussirait pas à secouer l'apathie des siens. Qu'avait-elle à leur offrir? Ils avaient besoin de quelqu'un qui promettait d'être puissant, de prédire les chasses et d'amadouer les esprits. Autrement, ils étaient perdus.

— Mishtenapeu est mort, annonça-t-elle alors d'une voix presque sans timbre comme si elle tentait elle-même d'apprivoiser ces mots.

Sans attendre la réaction des Presque Loups, elle fonça vers le sous-bois. L'odeur de mousse, de branches pourries et d'aiguilles l'apaisa un peu. Sous le couvert de bouleaux et d'épinettes noires, elle se sentait toujours renaître. Maïna songea qu'elle aurait aimé abandonner son père à la forêt plutôt que dans cette vallée trop nue où elle avait entendu l'appel des loups. Les loups! À quoi servait cet esprit tutélaire qu'elle avait tant espéré? Et ce pouvoir des mots qu'elle avait cru si puissant? Jamais, de sa courte vie, Maïna ne s'était sentie si seule et démunie.

Dominique Demers

Des branches craquèrent. Elle leva la tête et découvrit que Saito l'avait suivie. Il s'approcha et, d'une voix doucereuse, lui reprocha d'avoir tenté de soulever le clan contre lui. Il comprenait son chagrin, mais ne devait-elle pas le remercier d'avoir sauvé Tekahera de l'emprise des mauvais esprits? Une vague nausée saisit Maïna. Il était trop près, son haleine lourde l'écœurait, mais ses mots ne l'atteignaient guère. Saito se moqua de la folle attirance de Maïna pour le jeune étranger. Elle était aussi ridicule qu'une femelle de porc-épic en chaleur, aussi stupide qu'un lagopède, mais il saurait lui faire entendre raison.

— Regarde les loups et obéis à la loi des tiens, dit-il enfin.

La comparaison réussit à extirper Maïna de sa léthargie. Qui était-il pour oser parler des loups? Une marée fabuleuse submergea Maïna. La colère fit battre ses tempes.

— Tu m'appartiens, Maïna. Mishtenapeu ne te protège plus. Tu m'obéiras comme les autres, lança-t-il finalement, excédé par son silence.

Maïna serra les poings, ses jointures blanchirent, ses ongles s'enfoncèrent dans ses paumes.

— Tu as raison, Saito. Mon père ne me protégera plus. Les corbeaux et les loups se disputent déjà son ventre, mais tu es la honte de mon père, Saito, et tu ne mériteras jamais de le remplacer. Il savait que tu n'avais pas la force d'un vrai chef et que rien ne te permettait de parler aux esprits. Vois la preuve!

Maïna

Maïna lança le ballot sacré du chaman aux pieds de Saito. Le geste porta. Saito ne savait pas qu'avant de mourir Mishtenapeu avait légué à sa fille ce qui aurait dû lui revenir. Il y avait tant de haine dans le regard de Saito que Maïna se tut, foudroyée. Il abattit ses larges mains sur les épaules de Maïna et la secoua en crachant sa rage.

— Tu ne sais rien de ma puissance, Maïna. Retourne voir ta sorcière au corps détruit et demande-toi qui a cueilli les poisons qui ont ravagé ton père.

Maïna ouvrit la bouche, mais aucun son ne sortit. La stupeur l'étranglait. Elle sentit soudain les mains de Saito pétrir sa poitrine puis il tordit sauvagement sa lourde chevelure et l'écrasa sur le sol. Maïna n'essaya pas de se débattre. Saito était plus fort. Elle ferma simplement les yeux et, secrètement, silencieusement, elle appela ses parrains, ses frères, toutes les meutes du pays, les loups des lacs et des rivières, des montagnes et des vallées. À quoi servait l'esprit tutélaire? C'était aux loups maintenant de répondre. Maïna poursuivit son exhortation muette pendant que Saito, étendu sur elle, frottait son sexe dur contre son ventre en poussant des gémissements de plaisir.

C'est alors qu'une première meute dévala la montagne, puis une autre et une autre encore. Maïna n'avait qu'à fermer les yeux pour suivre l'immense cortège troué de prunelles lumineuses. Elle savait que Saito ne pourrait voir les loups alors elle ouvrit la bouche et, devant le regard étonné de son assaillant, elle imita l'appel des loups en poussant un long hurlement.

— Tekahera t'a enseigné des trucs de sorcière? ricana Saito, visiblement ébranlé malgré tout.

Maïna plongea son regard dans le sien et elle vit bientôt les prunelles rondes s'agrandir démesurément. Saito avait peur maintenant parce que les loups hurlaient réellement. Il pouvait les entendre lui aussi. Tous les Presque Loups devaient les entendre. Les loups de la forêt réaffirmaient haut et fort qu'ils avaient bel et bien choisi Maïna et qu'ils la suivraient partout.

Maïna savait que même s'il s'en moquait, même s'il les insultait, Saito craignait plus que quiconque les forces inconnues. Il prit un air dégoûté et la repoussa brutalement avant de fuir comme si le Windigo était à ses trousses.

Onze

De retour au campement, Manutabi apprit la mort de Mishtenapeu et le supplice infligé à Tekahera. Il entendit le hurlement des loups et vit Saito émerger du sous-bois. C'est là qu'il découvrit Maïna, seule, épuisée et visiblement très ébranlée. Elle lui raconta la requête de son père dans le silence de l'aube, la lance qu'elle avait elle-même plantée dans son dos, le corps de Tekahera comme une plaie ouverte, l'assaut de Saito, son souffle puant dans son cou. Lorsqu'elle s'arrêta, des larmes roulaient sur ses joues.

Manutabi réprima sa rage. Il avait envie d'étouffer Saito, de piétiner son corps, d'en finir pour toujours avec cet homme dangereux. Mais il chassa ces envies. Il se rapprocha de Maïna et lécha l'eau sur son visage. Il fallait à tout prix éviter les batailles, les affrontements.

— Partons vite, supplia-t-il.

Dans deux jours le canot serait prêt. Il travaillerait nuit et jour s'il le fallait. Pendant ce temps, Maïna réunirait dans une cache les denrées et l'équipement essentiels. Manutabi transporterait ensuite jusqu'au canot les peaux, les tuniques d'hiver, les raquettes, le poisson séché, le pemmican, les couteaux, les lances, le grattoir, les ustensiles d'écorce, l'arc-à-feu, les bottes aussi et les jambières...

Maïna accepta. Avant de se séparer, ils s'enlacèrent longuement, incapables ce soir-là de s'aimer autrement. Les jours suivants, Maïna partagea tout son temps entre Tekahera et les préparatifs du voyage. Tekahera s'en tirerait, Maïna se le répétait chaque fois qu'elle appliquait de nouveaux cataplasmes sur les plaies béantes. Mais comment en être sûre? Saito avait fait transporter Tekahera dans son abri entre la grève et le sous-bois, où des femmes se relayaient pour la soigner. Maïna savait que Tekahera chasserait gentiment ses soignantes dès qu'elle aurait pleinement repris conscience et elle sourit en imaginant la scène. Sa presque mère était une louve solitaire. Elle savait toujours entendre l'appel des siens et se mêlait volontiers à eux aux grands rassemblements, mais elle ne pouvait vivre longtemps parmi la meute. Bientôt, sûrement, elle retournerait à son île peuplée d'oiseaux.

Maïna était persuadée que Tekahera souhaitait que sa fille adoptive parte, qu'elle poursuive ce qui semblait être sa voie. Mais la jeune fille se sentait quand même coupable de l'abandonner. Souvent aussi elle se demandait comment se terminerait cette fugue. Au deuxième matin, Maïna se mit à surveiller les moindres signes afin d'y lire quelque présage, mais elle ne put

Dominique Demers

rien obtenir. Elle travailla sans répit, en guettant souvent la trajectoire du soleil. Lorsqu'il irait mourir derrière les montagnes, elle marcherait sur la grève, escaladant les rochers, traversant les ruisseaux, jusqu'à la pointe de la rivière aux truites. C'est là que débuterait sa nouvelle vie.

Le soleil était déjà bas lorsque Maïna fit ses adieux à Tekahera. Sa presque mère semblait consciente, ses yeux étaient grand ouverts, mais son regard restait absent. Elle ne réussit pas à parler, ni même à caresser, une dernière fois, la joue de Maïna. Maïna aurait tellement voulu se réfugier dans ses bras, mais comment oser se blottir contre ce corps massacré? Elle appliqua encore des feuilles mâchées sur les blessures de Tekahera, effleura tendrement ses longs doigts minces, ses petites rides sous les yeux, ses tempes moites.

— Je t'aime, Tekahera. Guéris vite. Un jour, je reviendrai, promit-elle, le cœur tordu, avant de la quitter.

Les montagnes s'étaient voilées d'ocre et de vermillon lorsque Manutabi pénétra à son tour dans l'abri de Tekahera. Il était aux abois. Des esprits malins lui avaient ravi son sommeil des dernières nuits. Le souvenir des combats sanglants qui avaient décimé les siens le hantait et il avait besoin, avant de fuir avec Maïna, de parler, d'être rassuré. Il se serait volontiers confié à Mishtenapeu, mais puisque cela était impossible, il avait songé à Tekahera, qu'il n'avait pas encore vue depuis l'assaut de Saito.

Maïna

Les yeux de Manutabi s'habituèrent à la pénombre mais pas à l'horreur. Maïna n'avait rien exagéré. Saito avait torturé cette femme. Il n'était pas chaman mais bourreau, Tekahera avait été suppliciée. La soignante au chevet de Tekahera profita de l'arrivée de Manutabi pour courir au campement. L'état de Tekahera s'était gravement détérioré depuis la visite de Maïna. Elle suait abondamment et prononçait parfois des paroles effrayantes. Il fallait aviser les autres.

Manutabi s'agenouilla près de Tekahera. Il connaissait bien peu les écorces, les feuilles et les racines qui auraient peut-être apaisé le mal, alors il prit doucement la main de cette belle femme déparée et la pressa contre sa joue. Tekahera poussa un cri d'oiseau, bref et perçant. Puis, dans un état d'agitation extrême, elle prononça plusieurs fois le nom de celle qu'il aimait. Manutabi sentit ses entrailles se nouer. Il y avait tant de détresse et d'affolement dans la voix de Tekahera! On eut dit qu'elle voulait l'avertir, le prévenir. Mais de quoi? Finalement, elle réussit à parler.

— Des morts... Loin... Dans la neige... L'étranger...

Tekahera se tortilla sur sa couche comme pour chasser des images trop éprouvantes.

— Non. Non! Chassez... Chassez l'étranger.

Elle délirait, les esprits parlaient à travers elle. Chaque mot comptait. Et, pourtant, Manutabi aurait tellement voulu ne pas entendre.

— Le sang... Sur la glace... MAAÏÏÏNAA!

Dominique Demers

Tekahera s'immobilisa enfin, ses paupières s'abaissèrent. Dans la promiscuité de l'abri, le silence s'installa, lourd, chargé d'orages. Manutabi n'osait pas remuer. Soudain, les esprits se réveillèrent et Tekahera hurla, terrifiée.

— NOOON! NOOON!

Manutabi sentit une rivière glacée l'inonder. Tekahera avait perdu conscience. Un sommeil cousin de la mort l'avait éloignée de ses visions d'horreur. Manutabi quitta la tente fou d'inquiétude. Saito avait-il raison de croire que les étrangers leur portaient malheur? Tekahera elle-même exhortait Maïna à se méfier de lui, de l'étranger. Sinon le sang coulerait. Manutabi savait que lui-même ne se livrerait à aucun carnage, jamais plus il n'arracherait des vies. Mais ne pouvait-il pas, malgré lui, provoquer un massacre?

Manutabi songea qu'il avait été bien naïf de croire qu'il suffisait de construire un canot en secret pour déjouer l'homme qui avait torturé Tekahera. Il imagina Maïna gisant nue sur un lac gelé, le corps taillardé par le couteau de pierre de Saito. Tekahera voyait juste dans son délire. La colère de Saito serait terrible. En découvrant leur fuite, il liguerait tous les Presque Loups contre eux et la forêt serait prise d'assaut jusqu'à ce qu'ils les retrouvent. Saito était rusé. Il n'éliminerait pas les voies d'eau. Sans doute enverrait-il aussi des Presque Loups alerter la tribu du lac aux caribous et celle de la montagne aux pierres de couleur. Maïna et lui seraient capturés et il faudrait alors espérer que

Maïna

Saito les tue rapidement.

Manutabi revit Maïna galopant sous la pluie, fébrile et palpitante, puis dévalant la montagne aux caribous, si vive, si radieuse. Il se rappela son odeur de femme, songea à son corps souple et puissant et, surtout, à ses yeux immenses, dévorés par le feu. Les esprits étaient avec Maïna. Des forces mystérieuses l'habitaient, guidaient ses paroles, ses gestes. Il le savait. Tous les Presque Loups le savaient. Maïna devait être épargnée. Il fallait la protéger de Saito.

En marchant vers la rivière aux truites où Maïna l'attendait déjà, prête à partir, il prit les derniers objets entassés dans la cache. Son plan était net. Maïna fuirait en canot pendant que lui prendrait par le bois en semant des pistes. Les Presque Loups suivraient ses traces sans se douter que Maïna naviguait seule sur la grande eau. Ils le traqueraient sans doute longtemps, mais il avait bon espoir de les déjouer et de leur échapper. Il n'y avait pas de Presque Loups plus forts que lui, ni de plus agiles. Il savait grimper aux arbres et attendre immobile durant plus d'un jour. Il savait brouiller les pistes de ses poursuivants en nageant dans les bouillons et il avait appris à traverser des chutes en s'attachant à un arbre ou à une forte racine avec une longue lanière tressée qui servait d'habitude à tirer les bêtes abattues. La forêt n'avait plus de secret pour lui. Il rejoindrait Maïna à la rivière de sa tribu où quelques-uns des siens chassaient sans doute encore.

Dominique Demers

Manutabi refusait de croire qu'ils avaient peut-être tous péri de la même terrible manière. Non. Maïna se mêlerait à eux et lui aussi éventuellement.

À son arrivée à la pointe de la rivière aux truites, la lune tremblait déjà sur la grande eau, de grands oiseaux somnolaient sur les pierres noires. Maïna pagayait près du rivage en l'attendant. Son regard incendiait le ciel. Manutabi aurait voulu agir comme si rien n'était changé, mais en apercevant Maïna il la désira si fort, et il craignit tellement de la perdre, qu'il voulut la prendre tout de suite, une dernière fois, avant de la laisser partir. Il s'enfonça jusqu'à la taille dans la grande eau et immobilisa le canot. Manutabi ne dit rien. Il tira le canot sur le sable humide que la marée avait longuement envahi, souleva Maïna et la déposa sur le sol.

Maïna tremblait. L'attente lui avait paru si longue. Les longs jours sans Manutabi tellement vides. Il était enfin là. Tout près. Avec son désir, cette faim dévorante. Manutabi la voulait tout de suite. C'était inscrit dans son regard. Il en oubliait l'urgence de partir. Maïna retira sa tunique et elle lui offrit son corps. Ils se prirent sur le sable humide et frais, les pieds léchés par les vagues, et restèrent longtemps agrippés l'un à l'autre. Manutabi voulait s'imprégner d'elle, capturer son odeur, se souvenir de la texture de sa peau, de la géographie de son corps. Il se résolut difficilement à remettre sa veste et à tendre à Maïna sa tunique.

Maïna

Elle dut alors écouter son étrange histoire, le fit répéter plus d'une fois, incertaine d'avoir bien compris. Manutabi ne dit rien du délire de Tekahera et de ce qu'il en avait déduit. Il raconta simplement à Maïna que son esprit tutélaire lui réclamait une offrande avant qu'il s'unisse à elle pour toujours. Il devait partir seul par le bois, jeûner, traverser des rivières à gué et d'autres à la nage, jusqu'à la rivière des siens qu'elle-même atteindrait par la grande eau. C'est là qu'elle devait l'attendre. Il reviendrait fort de l'appui des esprits et leur voyage serait doux ensuite.

Maïna resta longtemps muette. Elle apprivoisait lentement ces paroles. Grande était sa déception et mordante son angoisse. Pourtant, ce que disait Manutabi semblait juste. Elle-même n'avait pas songé à offrir un sacrifice aux esprits avant de partir. Manutabi était sage et généreux. Elle avait de la chance de s'unir à lui. Maïna plongea son regard dans celui de son compagnon. Il était à elle. C'était sûr. Alors elle consentit à partir sans lui. Elle guetterait son retour, la peur au ventre.

Manutabi avait senti la détresse de Maïna et il avait tenté de la rassurer, insistant sur des détails pour lui faire oublier l'essentiel. Du bout des doigts, il dessina sur son corps les baies et les caps jusqu'à l'estuaire de la rivière des siens. Il parla des deux premiers portages, des détours tortueux de ce magnifique bras d'eau qui creusait sa route dans le roc. Il en vint à la cache, sur le sentier du troisième portage. C'est là qu'elle devrait l'attendre jusqu'à ce que la lune ne dessine plus qu'un mince filet dans la nuit. Pas plus. Si jamais la lune disparaissait complètement avant qu'il revienne, Maïna devrait repartir, remonter seule cette rivière, sans perdre courage, en sachant qu'il finirait par la retrouver.

Maïna voulut protester. Prenant ses mains, il parla alors des siens, un petit groupe seulement, des braves qui n'avaient pas voulu déserter leur rivière. Elle les croiserait sûrement. Il faudrait leur parler de lui, leur montrer la pierre qu'il lui avait donnée avant l'initiation et se joindre à eux. Manutabi se vanta ensuite de maints exploits afin que Maïna sache qu'il était capable d'avancer assez vite pour la rattraper, sans doute avant même qu'elle parvienne au troisième portage.

Il la serra contre lui. Il aurait voulu la prendre encore une fois, mais il était temps de partir, ils devaient s'éloigner le plus possible du campement au cours de cette première nuit. Maïna s'attardait dans ses bras. Il la repoussa doucement et la regarda s'embarquer dans le canot lourdement chargé puis disparaître dans les courants de la grande eau.

Douze

Cette première nuit fut très chaude, l'été était encore jeune. D'épais nuages masquaient la lune et les étoiles. Maïna avironna sous ce ciel pesant, longeant le rivage de la grande eau, luttant contre les courants contraires. Elle avançait comme dans un état second, sans songer à Manutabi, Tekahera ou Mishtenapeu. Rien ne semblait pouvoir l'atteindre. Ses épaules étaient endolories et une grande fatigue alourdissait déjà ses bras lorsque le brouillard l'enveloppa et que la rive disparut. Il fallut que le canot frôle les récifs d'une île et que les macareux crient leur indignation pour qu'elle évite de justesse des arêtes tranchantes.

Elle s'éloigna de l'île et scruta la grande eau afin de déceler la raie sombre du rivage. Maïna avironna encore longtemps, jusqu'à ce que l'aurore barbouille l'espace au loin. Alors seulement, elle décida d'accoster pour dormir. Elle avait promis de ne voyager que la nuit jusqu'à ce qu'elle atteigne la rivière de Manutabi. La tribu du lac aux caribous descendait parfois jusqu'à la grande eau à cette hauteur. De jour, l'un d'eux pourrait apercevoir son canot et le

Maïna

signaler aux Presque Loups.

Le canot fut caché derrière quelques bosquets de genévriers. Maïna s'étendit un peu plus loin, sous les épinettes noires, sa peau de loup sur les épaules, et elle sombra dans un sommeil sans rêves. À son réveil, la rosée avait séché et le soleil débusquait les odeurs musquées du sous-bois. Maïna entendit son ventre grogner. Elle n'avait rien avalé depuis son départ. Avant de se lever, elle écouta longuement les bruits de la forêt, tous ces craquements, ces chuintements, ces grattements, et les cris d'oiseaux, les froissements d'ailes, les sautes d'humeur du vent. Une marmotte siffla et un écureuil volant atterrit doucement à quelques pas.

Maïna découvrit une dépression parmi les épinettes chétives. Elle décida qu'elle pourrait y faire naître un petit feu sans risquer d'être aperçue et but avec délices de l'eau chaude parfumée de feuilles de lédon. Elle se dirigea ensuite vers le canot pour y prendre de la viande séchée. Près de la cache, elle surprit un lagopède. L'oiseau s'immobilisa, tâchant de se confondre avec les broussailles, mais Maïna cueillit rapidement une branche et l'assomma d'un coup sec. Elle fit rôtir cette chair succulente, rendit hommage aux esprits qui lui avaient cédé cette proie, dévora la viande, enterra les plumes et les os et conserva une griffe qu'elle glissa dans sa pochette sacrée. Les esprits l'accompagnaient, elle devait s'en souvenir.

Dominique Demers

Maïna attendit l'heure brune où les bêtes sortent de leurs terriers. Avant de repartir, elle enterra soigneusement les restes du feu puis elle éparpilla quelques feuilles humides et du bois pourri. Un spectacle extraordinaire l'attendait au bord de la grande eau. Les lumières du nord dansaient dans la nuit. De grands faisceaux multicolores tournoyaient dans un ciel magique. Maïna savait que ces poudres lumineuses, ces traînées de rose, de bleu, de vert et d'or n'étaient autres que les âmes des morts venues valser parmi les vivants. C'était bon signe.

Une demi-lune luisait faiblement. Maïna songea à Manutabi. Combien d'autres lunes, plus fragiles, plus petites, s'accrocheraient encore au ciel avant qu'il revienne? Elle avironna toute la nuit sans écouter la douleur dans son dos, son cou, son ventre, ses bras. Le canot était chargé pour deux, mais elle était seule à le faire avancer. À l'embouchure des rivières, il fallait avironner ferme afin de lutter contre les courants. Mais ces efforts l'aidaient à traverser la nuit. Dans les eaux plus calmes, Maïna devait combattre l'angoisse. Alors elle libérait des personnages dans sa tête et se construisait des récits. Elle jouait au Manitou. Inventant la vie, elle faisait danser les arbres. Elle déclenchait des orages fantastiques, dessinait des aubes pourprées puis, au cœur de ces formidables pays, elle lâchait des bêtes fabuleuses. Ses royaumes inventés étaient toujours peuplés de loups. De belles bêtes au pelage moiré courant derrière des hardes de caribous.

Les vagues firent tanguer son embarcation, mais Maïna était perdue dans ses pensées. Les loups, songeait-elle, sont ridiculement petits et bien impuissants à côté de leurs proies, ces grands caribous qui fuient le danger en martelant le sol de leurs sabots puissants. Les loups courent moins vite que les renards et à peine plus que les lièvres. Mais ils sont endurants. Ils peuvent suivre les traces d'un caribou, lune après lune, inlassablement. Les loups savent tenir bon. Ils survivent courageusement en s'acharnant sur des proies énormes et triomphent sans éclat, avec patience et détermination.

Maïna se sentit fière d'être la filleule des loups. Elle n'avait pas oublié leur appel. Elle se promit d'être persévérante, d'atteindre la rivière de Manutabi et d'en remonter bravement le cours. Elle franchirait le premier, puis le deuxième portage et attendrait à la cache du suivant. Et si cela ne suffisait pas, elle poursuivrait sa route, sans jamais défaillir, jusqu'à ce que Manutabi revienne. Elle irait jusqu'au bout. Malgré l'angoisse, la fatigue, la pluie, le vent, la faim, les moustiques.

Pour se donner du courage, Maïna décida que ce triste début sur la grande eau n'était qu'un prélude à des jours meilleurs. Elle songea comment parfois, à la toute fin de l'hiver, le soleil surgissait brusquement et, pendant plusieurs jours, dardait ses rayons sur la forêt transie. Les

Dominique Demers

Presque Loups guettaient alors la débâcle, excités et heureux, mais soudain le ciel noircissait, le vent fraîchissait et la neige tombait de nouveau, abondante. Les Presque Loups devaient alors se rappeler que ce n'était là qu'un dernier sacrifice aux esprits avant le véritable début de l'enchantement.

Au cœur de la troisième nuit, après avoir dépassé le cap en bec d'aigle et les montagnes chauves que Manutabi lui avait décrits, Maïna atteignit la fameuse rivière. Ce territoire appartenait à Manutabi. En s'y aventurant, elle se sentait déjà un peu plus près de lui. Elle dormit peu et dès le lever du jour elle navigua sans relâche, remontant le courant jusqu'au premier portage, où elle dut s'arrêter car le ciel était déjà noir. Elle tira le canot sur la berge et dormit parmi les ballots, au fond de l'embarcation, enveloppée dans une peau. À son réveil, elle vit que la rivière coulait d'une gorge étroite. De belles parois rocheuses encadraient ses rives. Le premier portage fut long et raide. Il fallut trois voyages pour transporter tout le matériel et un quatrième pour ramener le canot.

Elle avironna encore pendant deux jours. Les flancs des montagnes s'adoucirent et elle pénétra dans une vallée qui n'avait rien d'inhospitalier. Les berges étaient par contre couvertes de grosses pierres rondes qui n'invitaient guère au sommeil, aussi Maïna dormit-elle dans son canot. Elle aimait se blottir au fond de l'embarcation en protégeant ses maigres possessions contre l'assaut des bêtes. C'était son île, son royaume.

Une longue coulée d'eau vive jaillissant d'un col tortueux annonça le deuxième portage. Les berges étaient bordées de flancs abrupts. En cherchant le sentier, Maïna dut escalader une pente raide. Il n'y avait pas de piste clairement battue comme aux portages de la rivière aux loutres. Elle prit un maigre sentier qui n'avait pas servi depuis des lunes et dut longer longtemps la crête avant de pouvoir redescendre à l'eau. Le lendemain, elle mit toute la journée à transporter l'équipement et les vivres. Pendant le dernier trajet, alors qu'elle se frayait péniblement un chemin parmi les arbres, son lourd canot gonflé d'eau sur ses épaules, Maïna sentit ses forces l'abandonner. Elle dut déposer plusieurs fois l'embarcation pour ne pas tomber.

Avant de réentasser les ballots au fond du canot, Maïna se débarrassa de sa tunique et glissa dans l'eau froide. Un grand bien-être l'envahit. Elle s'était laissé griffer par les branches et mordre par les moustiques. Elle avait sué, peiné, serré les dents. Elle était fourbue. L'eau effaçait tout.

Il n'y eut plus de portage pendant plusieurs jours. Maïna réussit à ne pas entamer ses réserves de nourriture. Dès que la faim la tenaillait, elle s'arrêtait pour pêcher de longs poissons gris-bleu. La rivière grouillait de ces délicieuses bêtes frétillantes. Maïna prenait le temps de fabriquer son feu et de griller lentement ses prises en buvant de l'eau tiède parfumée d'herbes. Elle avançait plus lentement depuis le dernier portage. Au bout du prochain, il y avait cette cache où elle retrouverait Manutabi. La veille, la lune était déjà mince, presque effilée. Bientôt, elle se remettrait à enfler comme si le soleil l'avait fécondée. Manutabi serait-il alors revenu? Maïna naviguait entre la peur sourde et le fol espoir.

Au milieu du jour, le canot se mit à ballotter. Maïna aperçut les rapides, cet extraordinaire déferlement d'eau blanche, mais elle ne réagit pas tout de suite, continuant à avironner sans guère réussir à avancer, car le courant la repoussait. Un cri d'oiseau déchira le ciel. Maïna émergea de ses songes et, en quelques gestes efficaces, elle rejoignit la rive. Elle mit pied à terre, tira son canot sur les pierres rondes, assez loin pour que le courant ne puisse le reprendre. Elle venait d'atteindre le troisième portage.

Cette fois, elle ne prit pas de bagages, cher-cha immédiatement une piste et courut sans s'arrêter. Elle n'avait rien sur son dos et pour-tant ce sentier lui parut interminable. Son cœur s'affola lorsqu'elle aperçut soudain l'eau au pied d'une pente escarpée. Elle atteindrait bientôt la fin du portage. Il fallait trouver la cache. Supplier les esprits qu'il soit là. Déjà. Enfin. Elle avait tant besoin de le voir, de le toucher, de le prendre. Maïna voulut savoir tout de suite, avant même d'atteindre la cache. Alors elle cria.

Maïna

— Maanuuutaabii!

Des oiseaux cachés protestèrent bruyamment. Un arbre gémit. Une petite bête rampante détala presque sous ses pieds. Puis la forêt redevint muette. Les nuages même parurent suspendre leur lent défilé. Maïna cria de nouveau en se promettant de ne pas recommencer.

— MANUUUTAABII!

La vie avait repris son cours et le temps sa course. Manutabi n'était pas au rendez-vous. Maïna arriva sans difficulté à la cache. C'était une belle ouverture creusée parmi les racines au sommet d'une montagne presque dénudée. La cache était vide. Rien n'y avait été déposé depuis plusieurs saisons. Des herbes avaient poussé, un animal y avait laissé quelques graines et des excréments.

Pendant toute la nuit, Maïna nourrit un feu. Lorsque l'aube apparut, elle ramassa des branches mortes pour continuer d'alimenter les flammes. Elle ne mangea rien, avala un peu d'eau et attendit. La nuit revint. Une histoire terrible vint la ravager. Manutabi courait, poursuivi par un carcajou. Le glouton sanguinaire dévorait tout sur son passage. Ses crocs luisaient dans la nuit et ses petits yeux lançaient des éclairs. Manutabi avançait dans la forêt en éparpillant derrière lui tout ce qu'il possédait. Les carcajous reniflaient son bandeau frontal, sa lanière qui servait à tirer les bêtes, son couteau de pierre... Lorsqu'il n'eut plus que sa tunique, le carcajou bondit et planta ses crocs dans le cou de l'homme qu'elle aimait, qu'elle désirait, qu'elle attendait.

Maïna hurla comme si la scène s'était déroulée sous ses yeux. Pour conjurer l'horreur, elle lança une pleine brassée de bois dans le feu, mais le cruel spectacle continuait de la hanter. Une triste lueur naquit alors dans son esprit. Elle tenta de la chasser, mais c'était trop tard. Elle ne pouvait plus fermer les yeux, refuser de comprendre. Elle revit Manutabi devant le canot, au bord de la rivière aux truites. Il l'avait prise presque violemment, animé par quelque sentiment d'urgence, puis il l'avait priée de partir seule.

Manutabi n'avait pas emprunté le sous-bois pour amadouer les esprits. Il avait attiré Saito sur ses traces, s'offrant en appât pour la protéger. Saito avait sans doute poursuivi son rival et Manutabi n'avait pas réussi à lui échapper, puisqu'il n'était pas au rendez-vous. Était-il tombé sous une lance? Avait-il subi de terribles supplices? Comment avait-elle pu croire qu'il la rejoindrait un jour?

Un filet de lune achevait de mourir. L'aube approchait. Maïna éteignit rageusement le feu. Elle avait jeûné devant les flammes et supplié les esprits de lui ramener Manutabi. Ils étaient restés de pierre. Comment s'étonner si Manutabi n'était même plus vivant? Maïna oublia ses promesses de patience et de courage. Une grande fureur l'animait. Elle aurait voulu commettre un geste sacrilège. Tuer un loup et laisser pourrir sa carcasse ou mettre le feu aux arbres. Elle abandonna simplement la cache et plongea dans le sous-bois sans regarder derrière, sans chercher de repères, sans tenir compte du soleil ou du vent. Elle marcha si vite et si longtemps que, bien avant que tombe la nuit, elle était déjà complètement perdue. Du haut des montagnes qu'elle avait escaladées, elle n'apercevait plus la rivière. Ce long bras d'eau se tortillait beaucoup, et depuis le deuxième portage Maïna avait bien peu analysé son cours, de même qu'elle n'avait guère étudié le ciel.

Elle était partie sans arc-à-feu, sans couteau, sans peaux, sans eau, avec sa rage au cœur pour seul bagage. Comment une Presque Loup pouvait-elle fuir de manière si irréfléchie? Maïna constata froidement qu'il lui manquait tout pour survivre. Elle se découvrit terriblement vulnérable et songea combien les siens détestaient les longues agonies. La faim, la soif, le froid. Mieux valait mourir brutalement. Sentir la brûlure sauvage d'une pointe de lance, laisser couler le sang tiède et s'écrouler en poussant un dernier grognement. Maïna parvint à chasser ces pensées. Épuisée après tant de nuits sans sommeil, elle s'étendit sur la mousse humide et froide et ferma les yeux.

À son réveil, le soleil était déjà haut. La faim lui vrillait cruellement le ventre et sa gorge brûlait tant elle avait soif. Maïna constata qu'après tant de jours d'efforts son jeûne l'avait affaiblie. Mais elle avait si souvent manqué d'eau et de nourriture que les appels de son corps ne l'émurent guère. Une vérité nouvelle l'animait. Maïna erra un peu avant de découvrir ce que la nuit avait changé.

Elle voulait vivre. Simplement. Avec ou sans Manutabi. Elle aimait ce jeune étranger venu des îles, furieusement et tendrement. En ce petit matin frileux et blême, elle désirait son grand corps encore plus que l'eau et les vivres dont elle avait tant besoin. Sans lui, au plus profond d'elle-même, elle ne serait jamais rassasiée. Manutabi était son territoire, sa rivière, sa forêt. Elle espérerait toujours, malgré tout, le retrouver. Mais elle voulait vivre, même si ce devait être sans lui. Parce que Mishtenapeu et Tekahera lui avaient enseigné à tenir bon. Parce qu'il ne fallait pas que Sapi soit morte pour rien. Parce que les loups avaient hurlé alors qu'elle gisait dans sa fosse. Parce qu'elle avait une mission à accomplir ou peut-être seulement des vérités à découvrir, entre la forêt et la grande eau. Il y avait là une piste à suivre et elle irait jusqu'au bout. Patiemment, sans faiblir, comme les loups courageux et solitaires.

Maïna fouilla le ciel. Elle interrogea le vent, scruta les montagnes, visa un semblant d'éclaircie, loin derrière la végétation touffue, et maintint cette direction. Elle ne courut pas comme la veille mais marcha rapidement, inspectant prudemment les alentours en reniflant comme un animal. La nuit tomba d'un coup. Maïna s'arrêta pour éviter de se blesser dans l'obscurité. Elle trompa sa faim avec de la tripe de roche et de l'aubier puis creusa un terrier au pied d'une montagne, à l'abri du vent, le tapissa de mousse sèche et se couvrit de branches d'épinette.

Elle ne dormit pas. Elle ferma simplement les yeux pour se reposer un peu pendant que la forêt s'animait. C'était l'heure où les rongeurs de toutes sortes cherchent leur nourriture, profitant de l'obscurité pour déjouer les oiseaux de proie et les grands carnassiers. Les cris et les courses des bêtes peuplèrent le silence jusqu'à ce que l'aube les renvoie tous dans leurs trous et tanières. Il y eut alors un long moment presque vide de bruits.

Presque. Maïna se leva d'un bond. Elle venait d'entendre l'eau ronfler. Son cœur se mit à cogner plus fort. Elle savait désormais que sa route était bonne. La rivière était tout près. Le canot apparut bientôt, léché par un soleil incertain. Des ours avaient éventré un sac de peau et chapardé les réserves de poisson séché, mais le reste était intact. Maïna but de l'eau, lentement, longtemps. Puis elle pêcha et mangea avidement avant de repartir.

La vie continuait. Elle devait tenir sa promesse à Manutabi et quitter ce lieu avant que la lune se remette à enfler. Il l'avait suppliée de poursuivre sa route même s'il n'était pas à la cache du troisième portage. Manutabi souhaitait qu'elle se joigne à ceux de sa tribu qui fréquentaient encore ce cours d'eau. Il la retrouverait plus loin. Il l'avait juré. Maïna en doutait, mais elle avancerait quand même.

En plongeant son aviron dans l'eau, Maïna décida de remonter cette rivière jusqu'à sa source. Après, elle portagerait jusqu'à un autre bras d'eau. Elle avait peu d'espoir de croiser les anciens compagnons de Manutabi, car les sentiers de portage n'avaient pas été foulés depuis bien longtemps. Maïna sentait pourtant qu'elle avait besoin d'avancer vers quelqu'un ou quelque chose. Elle réfléchit longuement, songeant encore une fois aux loups qui suivent la piste des caribous. En quittant le territoire des Presque Loups, les hardes se dirigeaient vers des pays plus froids en suivant toujours leur étoile, celle du Grand Caribou.

Maïna y vit un projet audacieux, un peu comme une mission. Elle savait qu'il existait là-bas, tout au loin, des montagnes si hautes que l'hiver restait pour toujours accroché à leur sommet. Et des déserts de glace infinis où des gens cruels dévoraient leurs pareils. Mais sûrement que, avant d'arriver là, elle atteindrait un royaume dont les Presque Loups parlaient souvent autour du feu. C'était le pays du maître des caribous. Un vaste territoire mousseux sillonné par un grand cervidé presque aussi sage et puissant que le Manitou. C'est vers lui que couraient les hardes. C'était donc aussi la route des loups.

Elle irait jusque-là à moins qu'en chemin les

loups ne lui expliquent enfin pourquoi elle était condamnée à errer loin de sa meute, sans chef, sans tanière, sans frère, sans sœur, sans mère. À moins qu'ils ne lui révèlent pourquoi, au fond de sa fosse, elle n'avait pas simplement entendu les ébats d'un porc-épic ou le cri d'une sittelle. À moins que les loups ne lui disent enfin pourquoi ils l'avaient choisie et quelle mission ils désiraient lui confier.

Maïna déposa son aviron en travers du canot. Elle ferma les yeux, inspira profondément, et poussa un long hurlement pour rappeler aux loups qu'elle était toujours là.

Treize

Manutabi progressait moins rapidement depuis qu'il avait été atteint au dos. Saito et ses hommes avaient suivi sa piste comme il le souhaitait. Ils avaient même presque réussi à le prendre, mais il ne s'était pas laissé bêtement capturer.

Il avait observé la lune qui rapetissait chaque soir alors qu'il continuait d'avancer dans cette impossible forêt. Maïna était déjà loin. Elle avironnait seule sur la rivière, ses longues jambes repliées sous elle, une peau de loup jetée sur les épaules. Elle aussi devait guetter la lune. Avait-elle franchi sans difficulté le premier portage et fait griller des poissons brillants? Lui-même avait traversé plus de cours d'eau qu'il n'avait de doigts aux mains. Dans quelques jours il atteindrait enfin la rivière et retrouverait Maïna.

Elle avait un parfum. Manutabi s'en souvenait. En collant son corps contre le sien, il retrouverait immédiatement cette odeur riche et pleine, si excitante. Il la prendrait sans hâte, goûtant chaque geste, chaque instant. Il n'y aurait pas d'urgence comme la dernière fois. Il n'y aurait plus de danger. Ils auraient tout leur temps.

Il trouverait du castor. Beaucoup de castor. En attendant les caribous. Ensemble, ils cueilleraient des baies bleues et des rouges aussi qui sont plus amères mais si délicieuses. Peut-être la prendrait-il encore, là, parmi les petits fruits qui éclateraient dans leur dos. Et quand tout serait calme, dans leur corps comme autour d'eux, peut-être lui raconterait-il la véritable histoire des hommes de la tribu des îles. Il aurait honte de lui et des siens, mais son secret ne l'étoufferait plus.

Manutabi songea à cette rivière où était Maïna. Ce long bras d'eau n'avait plus de mystère pour lui. Il connaissait si bien ses berges, ses rapides, ses caches, ses pièges. Il devait absolument l'atteindre. Vite. Jamais Saito et ses hommes ne le retrouveraient là-bas.

— Ils ne se rendront même pas jusque-là, se répéta Manutabi.

Il leur échapperait avant, malgré sa blessure. Il filerait plus vite que les loups, les renards, les caribous. Il foncerait comme une bête toute-puissante, écartant les arbres, enjambant les rivières. Manutabi entendit soudain le grondement d'une chute. Le bruit lui parvenait étouffé, non seulement par la distance, par ce mur de troncs et de branches, mais parce qu'il souffrait cruellement, parce que la douleur martelait sauvagement ses tempes.

Saito avait-il appris, comme lui, à plonger dans les gros bouillons en évitant la torsade qui aspire vers le fond? Savait-il comment trouver une veine sous l'eau tumultueuse et nager avec force jusqu'à l'autre rive avant que ses poumons éclatent? Non. Saito en serait incapable. Ses hommes aussi. Manutabi les sèmerait à la chute.

Il serra la petite lance ensanglantée qu'il tenait dans son poing. Il n'avait pas encore inspecté sa blessure. Le projectile avait sifflé, il avait senti la morsure dans son dos, mais il avait poursuivi quand même sa course, arrachant d'un coup sec l'arme solidement enfoncée. Il avait fait si vite que ses poursuivants croyaient sans doute qu'il n'avait pas été atteint. À peine avait-il ralenti un peu. Et, depuis, il n'avait pas cessé d'avancer.

Mais voilà que les arbres devant lui s'éloignaient, se rapprochaient puis reculaient encore. Les branches se mirent à danser, balayant l'espace, flottant dans le vent qui, pourtant, ne soufflait pas. Soudain, la forêt disparut. Manutabi se sentit aspiré par un trou noir. Il s'écroula sur le sol et bascula dans les ténèbres.

Quatorze

Quelques semaines plus tard, les moustiques disparurent et les nuits fraîchirent. L'été agonisait. Maïna se gava de tous les petits fruits qu'elle put trouver. Elle croisa quelques ours, avides eux aussi de baies sauvages. Le pelage des bêtes était plus sombre, et ces ours semblaient moins timides que ceux du territoire des Presque Loups. Maïna n'eut pas à entamer ses réserves de viande séchée. Elle tua quelques oiseaux et offrit chaque fois une belle part aux esprits. Une nuit, elle fabriqua un flambeau avec un long pieu et beaucoup d'écorce. Elle l'attacha au canot et pêcha sous les étoiles. Elle dévora tout le poisson qu'elle put avaler puis, à l'aide d'un petit os plat et effilé, elle tailla soigneusement de longs filets qu'elle mit à fumer. Maïna conserva les yeux de ses prises et des lambeaux de peau prélevés sous le ventre. Ils serviraient d'appâts pour pêcher les poissons bleus.

Les vallées et les flancs des montagnes rougirent rapidement. La frêle végétation se para de couleurs flamboyantes comme pour narguer l'hiver qui viendrait tout recouvrir. Les canardeaux avaient appris à voler et, avec eux, les oies, les pluviers, les chevaliers et les bécasseaux envahirent le ciel, pressés d'atteindre des terres plus chaudes. Il y eut tant de portages pendant ces longues semaines que Maïna finit par s'habituer au poids du canot sur ses épaules, à la sueur qui brûlait ses yeux et aux racines traîtresses qui menaçaient de la faire tomber en brisant son canot contre les arbres.

L'automne s'installa et Maïna dut renoncer à dormir à la belle étoile. De lourdes pluies froides accompagnées de vents violents la forcèrent à monter une tente, parfois même en plein jour. Il y eut des nuits où les peaux de caribou ne suffirent pas à rendre son abri étanche. Entre deux lourds orages, Maïna découvrit une hutte de castors et réussit à attraper une belle bête dodue. Elle se régala de cette chair, la préférée des Presque Loups, et prit soin de jeter tous les restes à la rivière pour ne pas attirer le malheur. Maïna profita de quelques jours d'immobilité sous la pluie pour bien racler la peau de castor avec un os de caribou et l'assouplir longuement en la roulant et en la pliant inlassablement. Elle sentait confusément qu'il n'y aurait jamais trop de provisions et de fourrures pour affronter les jours froids.

Les portages devinrent encore plus fréquents à mesure que Maïna s'approchait de la source de la rivière. Elle sut qu'elle avait finalement remonté tout le cours d'eau lorsqu'elle atteignit un vaste lac dont les ruisseaux menaient

Dominique Demers

à d'autres bassins plus étroits. Ces voies l'entraînaient du côté du soleil couchant. Ce n'était pas sa route. Elle mit plusieurs jours à trouver un bras d'eau qui lui permettrait de suivre à peu près l'étoile du Grand Caribou. C'est en cherchant cette nouvelle rivière que Maïna découvrit qu'elle avait rejoint la terre de partage, là où les eaux fuient de part et d'autre en sens contraires. Tout au long de son périple sur la rivière de Manutabi, elle avait dû lutter contre le courant, car les rivières de cette région coulaient vers la grande eau. À partir d'ici, elles fuyaient vers d'autres grandes étendues. Lorsqu'elle aurait remis son canot à l'eau, Maïna n'aurait plus à avironner aussi ferme, elle suivrait le mouvement de la rivière.

Maïna fut à peine encouragée par cette découverte. Quitter la rivière de Manutabi ressemblait trop à un adieu. Elle ressentit une grande lassitude en attaquant le portage qui la mènerait à cet autre cours d'eau. Elle avança longtemps sans guetter les proies, sourde aux bruits de la forêt, étrangère à tout. Puis, peu à peu, l'instinct des Presque Loups refit surface et sa survie l'accapara de nouveau, mobilisant tous ses sens, toute sa ruse, toute son intelligence. Pour se donner du courage, Maïna tenta d'imaginer ce territoire immense, loin là-bas vers le froid, où vivait le maître des caribous; ce pays étrange, mystérieux, vers lequel migraient les grandes bêtes et vers lequel elle aussi avançait. Elle parvint à portager tout le matériel et s'engagea sur la nouvelle rivière, enfin portée par le courant. Mais comme si tout répit lui était défendu, le froid devint plus vif et les orages fréquents. Une autre bataille allait commencer.

Un matin, pourtant, elle s'éveilla comme dans un rêve. Un soleil radieux, éblouissant, ramenait des parfums d'été. L'eau qui avait paru si noire au cours des longs jours d'orage éclatait en reflets d'émeraude sur un bleu profond. Les pluies avaient gonflé le cours d'eau, l'animant d'une force neuve, secrète et impétueuse. Maïna avironna le cœur presque en joie. Au milieu du jour, la rivière serpenta longuement pour déboucher sur un passage d'eau vive. Maïna immobilisa son embarcation en manœuvrant adroitement et elle étudia le rapide. Elle ne distingua que de beaux bouillons blancs, invitants. L'eau semblait bien assez haute pour porter le canot sans risquer que des arêtes rocheuses percent l'écorce.

À peine eut-elle amorcé la descente que Maïna fut fouettée par l'énergie fabuleuse qui poussait son canot. Elle avait l'impression de voler. L'eau giclait sur son visage alors qu'elle faisait corps avec la rivière, avironnant habilement parmi les vagues avec des gestes précis et puissants. Maïna ne s'était jamais sentie si forte, si vivante.

Au bout de cette belle coulée blanche, la rivière effectua un nouveau virage. Maïna fut saisie par le spectacle qui s'offrait à ses yeux.

Dominique Demers

Un courant déchaîné, nourri de vagues furieuses, semblait prêt à tout faucher. Elle comprit le danger et tenta immédiatement, mais en vain, de retenir son canot. La rivière l'avait déjà aspiré. Maïna pagaya comme une possédée, plantant frénétiquement son aviron, poussant l'eau de toutes ses forces pour tenir tête au courant, les genoux collés aux parois de l'embarcation afin de s'assurer un meilleur équilibre. Mais le canot tanguait dangereusement, alourdi par les vagues qui s'y engouffraient. L'eau enveloppa les jambes de Maïna, puis ses cuisses. Le canot devint impossible à manœuvrer. Soudain, un bruit sourd, comme une détonation, enterra le rugissement de l'eau. L'écorce avait crevé. Maïna se sentit happée par les flots.

Quinze

— Un mariage de géants sous mon nez! aboyait Saito.

Des mariages de géants, il y en avait eu bien d'autres avant. Lorsque deux hommes se disputaient la même femme, le plus rapide ou le plus fort des deux l'enlevait à son père et l'emportait avec lui loin du campement. Au bout d'un temps, il pouvait rejoindre les siens. L'affaire était classée. Cette femme lui appartenait et son adversaire n'avait aucun pouvoir de représailles. Le cas de Manutabi était différent.

— L'étranger n'a pas de droits, fulminait Saito. Il n'est pas un Presque Loup.

Tekahera observait la scène de loin. Manutabi était ligoté à un bouleau depuis deux jours. Il n'avait rien bu ni mangé, selon les ordres de Saito, et des jus répugnants coulaient de sa blessure au dos. Insensible aux invectives du jeune chef, il semblait résigné à devoir mourir.

Tekahera caressa une des blessures mal cicatrisées sur son bras. Elle souffrait encore, surtout la nuit. Mais cela n'était rien comparativement à ce qu'elle avait enduré pendant des semaines. Malgré tous les soins dont elle avait

Maïna

été entourée, ses plaies s'étaient infectées. La peau avait rougi et gonflé autour des coupures infligées par Saito. Les femmes avaient beau drainer le pus, les plaies suppuraient encore au bout de quelques jours. Tekahera avait craint de ne plus jamais revoir son île, mais la vie avait été plus forte que tout.

Tekahera soupira. Elle était trop éprouvée, trop lasse, trop vieille aussi pour tenir tête à Saito. Elle ne pouvait rien pour Manutabi, mais elle savait, dans son cœur écorché, que Maïna était vivante. À son retour, Saito avait inventé d'horribles histoires pour expliquer l'absence de Maïna. Dans tous les cas, Manutabi était coupable. Non seulement avait-il volé aux Presque Loups la fille de leur défunt chef, mais il n'avait pas su la nourrir. Maïna était morte. Les loups s'étaient disputé ses entrailles fumantes. Tekahera savait que Saito mentait. Il n'osait pas admettre qu'elle lui avait échappé.

Le prisonnier gémit. Saito fourrageait dans sa blessure avec la pointe de sa lance. Tekahera ressentit une douleur vive dans son dos comme si c'était elle que Saito venait de tourmenter. Elle serra les poings. N'y pouvait-elle vraiment rien? Les Presque Loups n'avaient pourtant pas le droit d'abandonner. Depuis quand acceptait-elle de manquer de force ou de courage?

Cette nuit-là, Tekahera risqua sa vie. Elle s'approcha secrètement du prisonnier, nettoya soigneusement sa blessure et y appliqua un onguent qu'elle avait mis des heures à préparer.

Puis, comme elle l'avait fait pour sa presque fille au fond de la fosse, elle fit couler de minces filets d'eau sur les lèvres de Manutabi. Celui ci ouvrit la bouche et la laissa étancher sa soif. La nuit suivante, elle répéta les mêmes gestes en ajoutant un morceau de viande de caribou.

Saito s'énerva de voir son prisonnier tenir bon. Il lui avait infligé la punition rituelle, sûr que l'homme affaibli et blessé ne résisterait pas. Il n'avait pas voulu étaler sa haine en massacrant l'étranger, car les Presque Loups se méfiaient du nouveau chaman depuis la fameuse saignée. S'il avait pu deviner que Manutabi survivrait, Saito l'aurait abattu sur place, près des chutes où il l'avait trouvé inconscient. Il n'aurait jamais permis à ses hommes de le ramener au campement. Il était trop tard maintenant, plus de trois jours s'étaient écoulés, il fallait délier le prisonnier. Mais, avant, il pouvait encore le soumettre à un dernier supplice. Les Presque Loups ne pourraient le lui reprocher, car c'était depuis toujours le sort réservé aux voleurs. Et Manutabi ne lui avait-il pas ravi Maïna?

Manutabi hurla aux quatre premiers ongles. Au cinquième, il s'effondra. C'était mieux que bien d'autres qui s'évanouissaient au premier doigt. Saito attendit qu'il reprenne conscience avant de poursuivre. La douleur ravageait le visage de Manutabi et il suait abondamment, mais il ne cria plus. Les Presque Loups réunis frémirent et souffrirent avec lui à chaque nouvelle agression du bourreau. Manutabi scrutait la foule de ses yeux grand ouverts. En croisant son regard, les Presque Loups avaient honte de leur chef, honte d'eux aussi.

Tekahera était bouleversée. Cet homme n'aurait-il pas mérité de vivre heureux à côté de Maïna? Manutabi parvint à rester silencieux pendant que Saito arrachait l'ongle de son pouce, le dernier. Un filet de sang coula alors de sa bouche. Il s'était mordu atrocement pour ne pas hurler.

Seize

Les yeux fermés, le corps secoué par de longs frissons, Maïna attendit que des lambeaux se détachent peu à peu de la masse confuse de ses souvenirs. Derrière elle, la forêt bruissait doucement. Elle remua d'abord les bras ; un faible gémissement accompagna ses efforts lorsqu'elle réussit à redresser le torse. Ses jambes étaient bleuies et éraflées, mais tous les os semblaient en place. En se frottant les hanches, elle découvrit de nouvelles meurtrissures puis porta une main à son cou et reconnut sa pochette sacrée. L'esprit de l'eau ne lui avait pas ravi son pouvoir de lutter contre les puissances. Maïna se sentit assez forte pour affronter les souvenirs.

La rivière l'avait avalée. On aurait dit une gueule géante, béante, vorace, écumante. Maïna avait réussi à s'accrocher au plat-bord d'une des pointes du canot éventré pendant que le reste de l'embarcation sombrait dans les bouillons. Elle savait que les meilleurs nageurs ne peuvent rien contre l'eau blanche. Il fallait tenir bon, rester agrippée à cette triste épave. Plusieurs fois, Maïna eut l'impression que ses bras se déchiraient, qu'ils s'arrachaient au reste du corps. Le bout de canot qu'elle tenait encore heurta une arête vive et se déchira. N'allait-elle pas éclater elle aussi, s'éparpiller en menus morceaux dans la rivière démente? Son corps ballotté par les vagues cognait durement contre les roches sur lesquelles l'eau se fracassait.

Maïna comprit qu'elle avait lâché prise lorsque, les yeux grand ouverts, elle ne vit que du noir. Plus rien ne flottait au bout de ses bras. Elle découvrit alors le visage caché des rivières, ce monstre destructeur dont la fureur semblait sourdre des entrailles du monde. Maïna ressemblait à l'un de ces oiseaux assommés dont s'amuse une bête féroce avant de le déchiqueter. De temps en temps, elle refaisait surface et engouffrait vite un peu d'air avant d'être de nouveau aspirée vers le fond. Prisonnière des rapides, le corps malmené, incapable de respirer, elle tentait alors désespérément de s'accrocher à une roche, pétrissant de ses mains affolées les surfaces rondes et dures qui glissaient toujours sous ses doigts. Au plus fort de l'épreuve, Maïna sentit la mort tout près. Elle eut l'impression d'y toucher, d'y goûter, et découvrit alors que toute révolte l'avait abandonnée. Elle n'était pas en colère, elle n'avait pas envie d'injurier les puissances. Seule dans l'obscurité, incapable de respirer, Maïna sentit seulement une immense tristesse l'envahir.

Son périple prenait fin avant qu'elle arrive à destination. Il fallait renoncer à ce but secret, mystérieux, vers lequel elle tendait, aux espoirs qui fleurissaient encore dans son ventre. C'était un peu comme quitter le monticule de pierres derrière lequel on guette depuis des jours l'apparition des caribous alors même qu'on croit entendre au loin le cliquetis des sabots. Maïna découvrit que le plus grave, le plus dur, n'était pas la douleur ou la peur mais cette indéfinissable tristesse qui précède la mort.

Et puis tout à coup, la rivière avait contourné quelque obstacle et de l'autre côté un banc de sable avait surgi. Maïna n'avait rien fait pour l'atteindre. La rivière l'avait simplement recrachée et elle avait roulé sur la grève. En reconstituant la trame des événements qui l'avaient fait échouer sur cette plage étroite, Maïna découvrit qu'elle n'avait plus de provisions, ni d'armes, ni d'outils. Rien pour chasser, se couvrir, rien pour l'aider à survivre. Elle avait tout perdu. L'angoisse l'assaillit avec une telle force qu'elle songea soudain qu'il aurait été plus facile de mourir noyée plutôt que de devoir affronter les mains vides les épreuves qui l'attendaient.

Le soleil s'évanouissait derrière les montagnes en répandant une lumière mauve. Maïna marcha lentement en fouillant les rives, résolue à reprendre son bien. Elle débusqua des monceaux de branches pourries entrelacées d'algues noires, une carcasse d'oiseau à demi rongée, des débris de poisson et quelques lemmings puants, le corps gonflé d'eau. Elle continua de chercher sans se soucier de la nuit qui allait descendre et du froid qui promettait de tout engourdir. Elle aurait sans doute marché jusqu'à l'aube, éclairée par une lune fragile et de timides étoiles, si elle n'avait retrouvé deux trésors. C'était bien peu, mais Maïna y voyait une vengeance sur la rivière.

Elle aperçut d'abord sa peau de loup étalée sur une grosse pierre ronde. L'effet était saisissant. On aurait presque dit un loup vivant. Plus loin, elle buta contre un de ses trois ballots de peaux. C'était bien insuffisant pour affronter l'hiver, mais Maïna refusa de songer à tout ce qui lui manquait. Elle défit le ballot et se construisit un abri de fortune parmi les pierres. Il y avait du bois tout près, mais sans arc-à-feu elle ne pourrait faire naître les flammes qui auraient adouci sa nuit. Maïna se roula en boule sous la minuscule tente de peau, tira vers elle la seule fourrure presque sèche et sombra dans un lourd sommeil.

Dès l'aube, elle reprit ses recherches et trouva le couteau de Manutabi sur le sable. La pointe était particulièrement bien taillée, c'était un outil précieux. Il n'y avait rien d'autre à récupérer. La rivière avait englouti le reste. Le cœur serré, Maïna songea au ballot sacré que son père lui avait légué. Elle employa le reste du jour à façonner un arc-à-feu. Elle chercha deux morceaux de bois dur de bonne taille et les travailla à la pointe du couteau. Il faisait brun lorsqu'elle put enfin tenter d'allumer un feu.

Dominique Demers

Pendant un temps interminable, le bois ne réagit pas au frottement. Maïna continua à faire tourner la baguette entre ses paumes meurtries en surveillant attentivement la naissance du feu. Un mince filet de fumée apparut finalement. Maïna retint son souffle. Elle s'efforça de ne pas ralentir ses gestes et poursuivit le rituel jusqu'à ce que des flammes s'agitent enfin devant elle.

Elle s'affaira encore à réunir du bois de grève pour alimenter le feu. Sa faim était grande mais sa fatigue encore plus. Elle se promit de prendre du poisson ou une petite bête dès le lendemain. Avant de dormir, elle fabriqua rapidement un gobelet d'écorce, l'emplit d'eau, le coinça entre deux pierres chaudes près du feu et ajouta quelques feuilles de lédon. En attendant que l'eau chauffe, elle s'allongea sur le dos et tendit un fil imaginaire entre les étoiles, s'inventant des créatures et des paysages de fables. Puis, lentement, précautionneusement, elle but le précieux liquide.

La nuit répandit une fine couche de givre sur le sol et à l'aube, la rivière devint frangée de minces plaques de glace transparente. Maïna décida de sacrifier deux peaux pour se fabriquer des guêtres, des bottes et une tunique. Elle découpa de fines lanières de cuir dans les lambeaux de son vieux vêtement et les utilisa pour coudre ensemble les nouvelles pièces grossièrement taillées. En travaillant, Maïna songea aux siens. Elle refusa de rêver à Manutabi, car ces méditations la vidaient de toute son énergie. Elle repensa plutôt à la vie des Presque Loups.

Maïna découvrait combien la tribu lui était essentielle. Loin de la meute, les loups solitaires poursuivaient un impossible périple. De même, les Presque Loups avaient besoin des leurs pour partager les tâches, le savoir-faire, les outils. Pour conduire une harde de caribous jusqu'à l'étranglement d'une rivière où les chances de tuer sont meilleures ou pour abattre un ours et transporter sa lourde carcasse jusqu'au campement. Pour monter les abris, faire naître le feu, réparer les canots, façonner la pierre, trouver la viande avant la nuit. Il y avait tant à accomplir pour survivre. Et pourtant, elle était seule.

Une fois sa tunique achevée, Maïna arracha des racines d'épinette et en tira de longues lanières qu'elle utiliserait pour accrocher son pauvre bagage sur son dos. La veille, elle avait réussi à harponner un poisson de bonne taille avec une branche grossièrement affûtée, mais l'entreprise avait requis énormément de temps et de patience. Elle fabriqua donc un crochet d'os, le noua à une lanière de racine et y enfonça un œil de poisson en guise d'appât.

Le lendemain, il fallait reprendre la route, seule et à pied. Elle savait d'avance combien cela serait difficile. Il faudrait longer la rivière afin de ne pas manquer d'eau et aussi pour éviter de tourner en rond. Mais il n'y avait pas de sentier et la végétation était dense. Cette forêt basse et touffue était encombrée d'arbustes, de taillis, de broussailles, à contourner, à enjamber, à écarter. Souvent, il n'y aurait guère d'autre choix que de foncer droit devant en s'écorchant les jambes.

C'était le combat de toujours. Lutter contre la forêt, contre la faim, contre le froid mobiliserait toutes ses forces, toute sa volonté. Les jours avaient raccourci. Les nuits n'étaient plus fraîches mais froides et bientôt elles seraient glacées. Le vent ne serait plus vif et frais mais piquant, mordant, blessant.

Maïna avait peur. Pourtant, elle repartit. Ce premier jour, elle marcha de l'aube à la nuit en s'inventant des récits qui, malgré elle, se peuplèrent de carcajous voraces et d'esprits malins. Le lendemain, elle poursuivit sa route. Et jour après jour, inlassablement, elle usa ses bottes de peau à s'inventer un chemin à flanc de montagne non loin de cette rivière qu'elle avait appris à détester.

Souvent, malgré sa fatigue, Maïna étirait sa marche, repoussant le moment de s'arrêter pour manger et dormir. Elle ne se sentait pourtant guère vaillante, elle redoutait simplement la nuit à venir parce qu'elle n'avait rien trouvé à se mettre sous la dent et que ses vêtements de peaux ne suffisaient déjà plus à la protéger du froid. Un soir, Maïna découvrit une cache de lynx. C'était une simple cavité aménagée parmi des racines. Des semaines plus tôt, le fauve y avait enfoui les restes d'un caribou. La viande trop mûre dégageait une odeur puissante. Maïna fit griller la chair faisandée et dévora jusqu'aux derniers lambeaux.

Une fois ce repas terminé, elle constata soudain l'étendue de sa solitude, la gravité de son dépouillement, l'intensité de sa détresse. Elle avait tout perdu. Ses maigres possessions comme tous les êtres qui lui étaient chers. Elle était seule au monde, dépourvue, démunie, abandonnée.

— TEEKAAAHEERAAA! TEEKAAAHEERAAA! cria-t-elle dans un long bruit étranglé.

Dix-sept

Un matin, la rivière s'ouvrit sur un vaste lac plissé par le vent et ceinturé de montagnes aux flancs sombres. Le soleil était déjà haut, le vent n'était pas trop cruel. Maïna ressentait une grande lassitude. Elle s'arrêta, décrocha le ballot fixé sur son dos, le déposa sur le sol et s'assit pour contempler le plan d'eau. Bientôt, sa tête tomba sur ses genoux et elle s'endormit.

À son réveil, elle fut alertée par une odeur nouvelle. Avant même d'ouvrir les yeux, elle devina que le paysage s'était transformé. Le silence semblait plus profond, les rares sons lui parvenaient assourdis. Un parfum subtil, léger et frais, excitant, flottait autour d'elle. La neige a une odeur, songea Maïna. Elle ouvrit les yeux et vit la pluie d'étoiles. De gros flocons brillants tombaient du ciel. Le sol avait mué pendant son sommeil, la terre avait changé de toison. La neige s'étalait, superbe, lumineuse. Maïna se laissa envahir par la magie du moment.

Elle promena alentour son regard ébloui, comme pour percer le secret du nouveau paysage. C'est alors qu'elle aperçut un signal de bois au bord du lac. Quelqu'un avait enfoncé un pieu dans le sol et y avait attaché une branche qui pointait vers une crête un peu plus haut. Un petit monticule de pierres protégeait ce message de bois contre les assauts du vent ou des bêtes. Maïna examina l'écorce, l'extrémité de la branche. L'installation lui sembla assez récente. Quelqu'un avait foulé ce sol récemment et il avait tenu à indiquer la direction qu'il avait prise.

Manutabi! Maïna se mit à trembler. Elle aurait voulu écraser ce fol espoir qui gonflait dans sa poitrine, l'étouffer avant qu'il ne la fasse trop souffrir. Elle tenta de marcher à pas mesurés dans la direction indiquée, mais elle se surprit bientôt à courir et poursuivit long-temps sa galopade insensée. Au sommet d'un mont dégarni, elle découvrit enfin un autre signe et aperçut presque tout de suite une masse insolite, un amas de fourrure grise, presque noire, aux poils lustrés, courts et denses. Deux jambes mal protégées par des guêtres déchirées et des bottes trouées émergeaient de la tunique. D'étranges raquettes étaient encore accrochées au dos du cadavre.

Le visage était large et rond, un peu aplati. Les yeux exorbités appelaient encore à l'aide et de la bouche grand ouverte semblaient fuser des cris muets. En s'approchant davantage, Maïna constata qu'il s'agissait d'une femme.

— Ce n'est pas Manutabi, dit-elle tout haut comme si c'était nécessaire pour dissiper tout doute.

Dominique Demers

Cette femme ne ressemblait pas aux Presque Loups. Sa tunique était en peau de phoque, un animal que les Presque Loups ne chassaient pas. Maïna sentit monter en elle le dépit et le désespoir. Ce corps inerte et silencieux lui rappelait que la mort rôdait tout près. Elle refusa pourtant de se laisser abattre.

— Avance! commanda-t-elle à nulle autre qu'elle-même.

Les mots résonnèrent dans le ciel d'hiver. Avant de repartir, elle vola au cadavre ses raquettes et sa tunique. Les bottes étaient trop usées pour être utiles. Ce soir-là, avant de construire son abri de peau, Maïna enfuma des lemmings dans leur tunnel et assomma les bêtes glapissantes à coups de pierre. Ses proies étaient à peine plus grosses qu'un poing. Elle les enfila sur une branche et les fit griller sur un maigre feu.

Le souvenir de Manutabi l'habitait de nouveau. Maïna souffrait de si peu connaître l'homme qu'elle aimait. D'où exactement venait-il? Avait-il déjà longé cette même rivière? Porté une fourrure comme celle qu'elle avait arrachée au cadavre? Mais, surtout, quelles vérités secrètes taisait-il constamment? D'où venait cette indescriptible douleur dans son regard changeant? À force de vivre avec le souvenir de ses yeux, à force d'y rêver, Maïna avait cru y déceler des ombres inquiétantes.

Elle tisonna le feu comme pour disperser les doutes. Manutabi avait peut-être ses secrets,

Maïna

mais elle savait, de manière sûre, absolue, qu'il l'aimait et qu'elle aussi l'aimerait toujours. S'il avait réussi à déjouer Saito, si le sang coulait encore dans ses veines, comment pourrait-il désormais la retrouver? Pour revoir Manutabi, si cela était encore possible, ne devait-elle pas retourner sur ses pas? Ne fallait-il pas oublier l'étoile du Grand Caribou et cette route vers laquelle elle tendait? Maïna scruta le ciel en quête de réponses. Il n'y avait là qu'un immense pays noir, sans étoiles, sans lumières, sans vent. Le ciel était muet. Maïna savait que si elle rebroussait chemin Saito pourrait la reprendre. Il fallait continuer. Avancer.

La neige fondit à la lumière de l'aube, mais quelques jours plus tard elle tomba de nouveau et le soleil ne réussit plus à la chasser. Les rivières gelèrent pour de bon. De larges plaques dures se formèrent d'abord le long des berges et là où les roches affleurent. L'eau vive lutta contre ces intruses, mais des îlots de glace, jaunes comme des lunes fondues, gonflèrent parmi les vagues et peu à peu se soudèrent ensemble. Maïna accueillit avec joie ces routes nouvelles. Munie d'un bâton qu'elle cognait régulièrement pour éprouver la solidité de la glace, elle pouvait désormais avancer en ligne droite, sans obstacles, sans détours.

Elle reprit courage et fabriqua des pièges avec des racines. Parfois, le soir, des lièvres blancs bondissaient comme des fantômes dans la neige. Maïna parvint à en piéger

quelques-uns. Les bêtes gémissaient atrocement avant de mourir. Maïna engloutissait la
viande, se régalant surtout de l'estomac, puis
elle nettoyait grossièrement la fourrure. Le froid
rendait ce travail difficile et des lambeaux
sanguinolents restaient accrochés au cuir. Elle
avait ainsi pu tapisser ses bottes de fourrure
blanche et elle s'en enveloppait aussi les
mains, mais, malgré cette douce protection, ses
doigts étaient souvent bleus.

En marchant vers le froid, Maïna imaginait
d'autres tribus, semblables aux Presque Loups,
chassant dans le vaste territoire où migrent les
caribous. Parmi la foule d'hommes et de bêtes,
une silhouette se détachait toujours. Manutabi.
Maïna ne pouvait s'empêcher de rêver.

À mesure qu'elle progressait vers ce pays
mystérieux, la végétation devenait plus éparse
et les feux de plus en plus difficiles à alimenter.
Il fallait parfois creuser la neige, comme les
caribous en quête de lichens, pour dénicher du
combustible. Maïna ramassait aussi des excréments, mais ses feux procuraient peu de chaleur
et les efforts pour les construire l'épuisaient.
Elle se savait très affaiblie et progressait de plus
en plus péniblement, évitant de s'arrêter longtemps, car elle craignait souvent de ne plus
trouver le courage de se relever.

Un soir, elle surprit un porc-épic trottant
paresseusement dans la neige et l'assomma
rapidement. Maïna avait parfaitement appris à
dégager la viande de l'enveloppe de piquants,

mais ses doigts étaient gourds, ses bras pesants. Elle s'enfonça des aiguillons dans la peau et eut beaucoup de mal à les retirer. Lorsqu'elle eut terminé, elle était trop épuisée pour préparer un feu et manger. Elle s'endormit dans la neige, roulée en boule sous ses peaux. À l'aube, sa proie avait disparu. Les traces du voleur étaient nettes. Un carcajou l'avait presque frôlée sans qu'elle s'éveille. Maïna se promit d'être plus vigilante et elle reprit sa route le ventre terriblement creux.

Ce jour-là, il neigea abondamment. Maïna fixa les raquettes à ses bottes et plongea dans la poussière blanche. Le vent sifflait en charriant un air glacé. Maïna écouta sa plainte aiguë, attentive à toute présence. Elle était si seule, depuis tant et tant de jours et de nuits, que le moindre son, le moindre souffle, le moindre jeu de lumière captait toute son attention. Elle entendit les épinettes noires craquer et gémir et fut sensible au profond silence des oiseaux et des petites bêtes du bois. Quelque chose se préparait.

Le blizzard déferla brusquement. Les vents s'étaient élevés soudainement avec une rage surprenante. Ils fouettaient la neige, arrachant de longues traînées de poudre au sol. Les arbres ne se lamentaient plus. Ils employaient toutes leurs forces à résister. Leurs branches s'affolaient et se tordaient en tous sens. Le vent en faucha plusieurs et les emporta dans sa tourmente. La neige semblait ne plus tomber du ciel mais jaillir de partout. Une immense colère blanche dévorait le paysage.

Maïna aurait dû courir vers la forêt chétive, gravir une colline et trouver refuge au pied de l'autre versant, mieux à l'abri des vents. La rivière qui lui servait de route était large, les vents s'y engouffraient furieusement sans rencontrer d'obstacles. Mais Maïna resta figée, comme envoûtée par le triomphe des vents. Face à ces puissances extraordinaires, elle se sentait encore plus faible et misérable.

Elle parvint seulement à s'abriter non loin du rivage parmi de grosses pierres qu'elle recouvrit de quelques peaux. Là, elle se creusa un nid dans la neige et dormit pelotonnée comme une bête, tous ses sens en alerte, consciente que sa vie ne tenait qu'à un fil que le vent pouvait rompre.

La tempête rugit pendant deux jours. Maïna souffrit de n'avoir rien mangé avant. Le froid la rongeait de toutes parts et elle se sentait prisonnière d'elle-même autant que de la neige et des vents. Elle n'arrivait plus à s'évader. Les histoires et les personnages qui jaillissaient de son imaginaire étaient trop inquiétants pour lui apporter quelque réconfort. Maïna les chassait, employant toutes ses forces, toute son énergie, à créer le vide dans ses pensées. Elle s'obligea à avaler régulièrement des poignées de neige, mais cette alimentation glacée provoqua tant de crampes qu'elle préféra bientôt simplement endurer la soif.

Maïna

Des souvenirs très précis l'assaillirent. L'odeur du campement des Presque Loups par exemple. La chair grillée et fumée, le charbon de bois, la senteur âcre des corps et celle, pesante, pourrie, des têtes de caribou livrées au soleil. Maïna s'accrocha tant qu'elle put à ces souvenirs mais, peu à peu, ils furent remplacés par d'autres images. Elle aperçut tour à tour Mishtenapeu, Tekahera et Manutabi, debout, droit devant elle, comme un mirage. Chaque fois, elle dut s'empêcher de bondir pour aller les étreindre. Et à la longue elle devint si affamée de chaleur et de tendresse qu'elle eut envie de sortir, de se livrer à la tempête, pour le simple bonheur d'enlacer un arbre.

Au cours de sa longue traversée solitaire, de ces interminables jours d'épuisement et de ces nuits de douleur, Maïna avait compris l'importance de la meute. Elle avait découvert des vérités solides qu'elle vérifiait quotidiennement. Et voilà que la tempête lui apportait d'autres révélations. Maïna apprit que l'immobilité, l'impuissance étaient plus redoutables que le combat. Seule dans son trou, incapable de lutter, d'avancer, elle se rendit compte que les pires tempêtes étaient celles qui grondaient en elle. Ces rafales d'angoisse et de désespoir qui lui rongeaient l'âme. Parfois, au plus fort de ces orages intérieurs, ses dernières certitudes basculaient. Elle ne croyait plus en rien.

Elle doutait de Manutabi et regrettait d'avoir quitté les siens. Elle n'était plus certaine d'avoir véritablement entendu l'appel des loups et parfois même elle se demandait si le Manitou existait vraiment. Peut-être que les Presque Loups n'appartenaient à rien ni à personne. Que leur périple sur cet impitoyable territoire n'était le prélude de rien. Et si, après la mort, il n'y avait qu'un effroyable vide? Si les hommes, les arbres et les bêtes s'éteignaient simplement à tout jamais? Maïna avait toujours imaginé que son esprit avait des ailes et qu'à sa mort il foncerait comme un oiseau du printemps jusqu'au paradis. Mais peut-être que les esprits n'existaient même pas.

— Les esprits n'existent pas, murmura-t-elle, effrayée par ces paroles sacrilèges.

Maïna serra dans son poing sa pochette sacrée. Toute sa vie, elle avait épié, écouté, attendu, entendu les esprits.

— Les esprits existent, souffla-t-elle, incapable toutefois de s'en convaincre.

À preuve, cette colère des vents. Et la danse des lumières du nord dans la nuit. À preuve...

Maïna s'enlisa dans un sommeil douloureux.

Dix-huit

La veille, Tekahera avait lancé une omoplate de caribou dans les braises et inspecté longuement le paysage de brûlures et de craquelures que les flammes avaient révélé. Maïna était déjà loin. Très loin. Tekahera ne put s'empêcher de frémir en découvrant la route tracée sur l'os. Les Presque Loups n'étaient jamais allés jusque-là.

Tekahera vit le ciel s'assombrir au large de son île. L'épaisseur du silence annonçait une grave tempête. Qu'à cela ne tienne, elle était prête. Bientôt, elle se retirerait dans sa grotte avec de l'eau et du pemmican, mais pour l'instant elle savourait les dernières heures de quiétude en marchant tranquillement parmi les arbres. Elle était si heureuse d'avoir pu retourner à son île avant l'hiver. Les bourrasques, les orages, les blizzards, toutes ces extravagances du ciel ne l'apeuraient plus.

À combien de tempêtes avait-elle déjà résisté? Pendant combien de jours et de nuits avait-elle patiemment attendu que les esprits s'apaisent? Toute sa vie, Tekahera s'était demandé quelles forces de la nature déclenchaient les tempêtes. Étaient-ce vraiment les colères du vent? Elle soupçonnait parfois le soleil et la lune de s'accoupler avec fracas derrière les nuages épais d'un ciel d'orage. Les tempêtes n'étaient pas toujours furieuses. Parfois, peut-être, charriaient-elles simplement des passions fabuleuses.

Les mésanges s'excitèrent au passage de Tekahera. Elles poussèrent des cris stridents, insultées d'être ignorées. Tekahera puisa dans une sacoche de peau qu'elle portait en bandoulière et prit quelques graines qu'elle éparpilla sur ses épaules. Les mésanges vinrent tout de suite. Tekahera ferma les yeux pour mieux sentir les petites ailes papillonner autour d'elle. Elle adorait ce chuintement joyeux des mésanges gourmandes qui s'activaient jusqu'à ce qu'il n'y ait plus rien à manger. Après, elles repartaient elles aussi vers leurs nids cachés.

Avant de s'enfoncer dans son abri, Tekahera scruta encore la grande eau et la frange de terre au loin qui semblait s'étirer jusqu'à l'infini. Quelque part dans ce territoire lointain et barbare, Maïna découvrait la puissance des esprits et la solitude des Presque Loups. Elle était vivante, Tekahera n'avait pas besoin d'interroger les esprits pour l'apprendre. Elle le savait, dans son cœur, dans son ventre. Maïna était vivante, mais peut-être souhaitait-elle mourir.

Tekahera souffrait que sa presque fille subisse seule tant de tourments. Mais elle souffrait aussi de savoir que Maïna se languissait d'un homme qu'elle ne pourrait sans doute

jamais plus étreindre. La route de Maïna semblait mener ailleurs. Pourtant, Manutabi aimait
la fille de Mishtenapeu, et elle aussi l'aimait.
Leurs corps s'appartenaient, leurs âmes encore
davantage. Le jeune étranger de la tribu des
îles avait déjà prouvé qu'il était prêt à tout pour
Maïna. Il avait même risqué sa peau. S'il avait
réussi à émerger vivant de cette aventure, c'est
parce que les esprits en avaient décidé ainsi. Le
sort de Maïna était plus incertain. Comment
deviner ce que lui réservaient les puissances? Il
fallait attendre. Tekahera la sage savait que les
Presque Loups, parfois, ne peuvent rien contre
les esprits.

Dix-neuf

Au troisième matin, la tempête se retira par à-coups, comme si elle hésitait à disparaître. Le silence s'étira et s'approfondit, de plus en plus rarement entrecoupé par les soubresauts du vent. Maïna s'éveilla, surprise d'être vivante. Ses doigts étaient perclus, ses pieds insensibles. Elle parvint à allumer un feu, à faire fondre de la neige et à boire un peu.

Un soleil ahurissant dispersa les derniers nuages, inondant la neige de lumière. Maïna songea à la légende des Premiers Hommes. Tekahera racontait qu'ils avaient longtemps marché, que leur sort était devenu si lamentable qu'ils avaient cru la mort à leur trousse. Mais les esprits avaient eu pitié. Ils avaient dépêché des caribous. Des hardes immenses avaient roulé vers eux. Maïna accueillit ce soleil radieux comme une offrande des puissances.

Elle se mit en route sans réfléchir, mue par des forces étrangères, et ses pensées coururent immédiatement vers Manutabi. Depuis qu'elle avait goûté à son corps, Maïna s'était souvent éveillée, la nuit, avec une formidable envie de lui. Elle avait vu, à la saison des amours, des loups s'entredévorer, des caribous fracasser leurs beaux andouillers, des porcs-épics gémir et se lamenter, et tant d'oiseaux lancer de lancinants appels. Elle savait combien les désirs du corps pouvaient être ardents, mais à mesure que le temps et l'espace l'éloignaient de Manutabi, elle découvrait d'autres attirances.

Il était arrivé chez les Presque Loups paré d'ailleurs et de mystères. Il portait en lui le secret de tous les pays qu'il avait traversés. Il avait la force des grandes bêtes, le savoir des hommes, et son corps était magnifique. Mais Maïna savait aussi qu'il était assailli par d'autres désirs et rongé par d'obscures angoisses. Elle l'avait deviné à sa façon de la prendre, à sa manière de s'emparer non seulement de son corps mais aussi de son regard comme s'il cherchait, presque désespérément, à s'accrocher, à trouver prise. Cette tendresse douloureuse, cette fragilité surprenante l'avaient conquise.

Depuis qu'elle avait repris sa marche, Maïna suivait une piste. Des caribous avaient piétiné la neige pendant la tempête, le hurlement du vent avait sans doute enterré le bruit des sabots. Avec pour seule arme le couteau de Manutabi, Maïna n'avait aucun espoir de tuer un caribou, mais elle espérait quand même apercevoir la petite harde.

Au milieu du jour, elle trouva les bêtes couchées dans la neige. Les mâles n'avaient pas encore perdu leurs bois. Les fourrures semblaient magnifiques, les flancs bien en chair.

Dominique Demers

Maïna attendit, tous ses sens en alerte. Avec ou sans arme, elle restait une Presque Loup, fille des chasseurs de caribous. Une bête au pelage plus pâle, le chef sans doute, se releva lentement. Les autres l'imitèrent. C'est alors que Maïna aperçut les loups. Ils semblaient surgir de nulle part. Elle fut saisie d'un grand vertige, sa gorge se noua. Elle avait l'impression de retrouver les siens.

Les loups rôdèrent près de la harde en gagnant discrètement du terrain. Les caribous se rassemblèrent pour former une masse plus compacte. Ils écoutaient, le cou tendu, les oreilles droites, les naseaux frémissants. Soudain, le chef des caribous s'élança, entraînant la harde. Les loups bondirent. Maïna resta immobile, mais son esprit courait avec les loups et son cœur battait en cadence dans sa poitrine.

Beaucoup plus tard, elle découvrit un vieux mâle écrasé dans la neige. Les loups n'avaient pas entièrement dévoré la carcasse du caribou, ils lui avaient abandonné la langue et un peu de viande. Maïna construisit un feu avec presque rien et fit rôtir de petits morceaux de chair qu'elle mâcha très lentement, craignant que son estomac, vide depuis des jours, ne supporte mal la nourriture.

Maïna rêvassa longtemps devant les braises mourantes. Dans ses songes, elle s'était transformée en loup. Une bête somptueuse, irréelle, aux yeux fauves et au pelage lumineux, aussi blanc que la neige. Elle courait, seule, sans ressentir la fatigue ni le froid. D'un bond, elle traversait des rivières d'eau vive. Rien ne pouvait l'arrêter. Elle fonçait vers les siens. La meute n'était plus très loin. Elle avait attendu son appel et désirait la rejoindre. À tout prix.

Vingt

Natak croqua dans un morceau de phoque gelé et suça la viande dure sans ralentir son pas. Il prit l'outre pendue à son cou, sous sa tunique de fourrure, et but longuement. Son corps était bien protégé, sa peau chaude ; l'eau coulait, douce et tiède.

La disparition de Merqusak, de Patdloq et de leurs deux petits ne l'émouvait guère. Cette famille n'appartenait même pas à sa bande. Pourtant, Natak avait pris ses meilleures peaux, de gros morceaux de phoque, une pleine outre de graisse, une autre d'eau, et il était parti fouiller les berges de la rivière aux feuilles. Il aurait pu rester sur la banquise avec les siens ou choisir d'aller moins loin, mais Natak avait besoin de bouger et le temps était propice. Il avait déjà tué plus que sa part de phoques et la saison était jeune, en son absence les siens ne manque-raient de rien.

Si Merqusak avait choisi la rivière aux feuilles, Natak retrouverait les disparus, qu'ils soient vivants ou à moitié rongés. Natak avait confiance en lui. Il avait déjà réussi tant d'exploits. Ses jambes étaient dures, ses bras pouvaient tirer les plus lourdes charges. Deux fois déjà, il avait tué l'ours blanc sans que son sommeil en soit perturbé. Il avait affronté seul la masse redoutable, les énormes pattes aux griffes tranchantes, et planté sa lance dans l'épaisse fourrure blanche au risque d'être déchiqueté vivant. Souvent, au retour de ces chasses, les hommes étaient obsédés par le souvenir du monstre, mais Natak ne se laissait pas facilement émouvoir.

On le disait sans peur. Il était jeune et robuste, souvent héroïque. Les siens le respectaient et sa parole comptait. Plusieurs femmes le convoitaient. Liitsia et Mikiju s'étaient maintes fois données à lui. Elles attendaient qu'il choisisse. Liitsia avait des seins magnifiques et elle savait coudre des vêtements qui ne laissent pas passer le froid. Le ventre de Mikiju était plus chaud et plus doux qu'une fourrure, ses yeux étaient tendres et son cœur brave. Mais Natak ne pouvait se résoudre à prendre l'une d'elles.

Il était possédé par un rêve étrange. Une vision merveilleuse, qu'il n'osait partager avec les siens, peuplait de plus en plus souvent ses songes. À l'aube, lorsque ces images avaient hanté sa nuit, Natak avait peine à renouer avec la réalité. Son obsession devenait parfois si envahissante qu'il avait besoin de s'isoler pour réfléchir, pour tenter de comprendre. Alors Natak marchait jusqu'à la grande eau à marée basse et il se glissait sous la banquise. Là, seul dans le pâle silence bleu de sa caverne glacée,

Dominique Demers

Natak se saoulait d'effluves marins en fouillant du regard le paysage sculpté par l'eau et le vent. Dans les secrets de cette solitude où seuls lui parvenaient les gémissements de la banquise tordue par le froid et le ronflement des vagues, Natak tentait en vain de résoudre l'énigme de son rêve.

Avant de s'engager sur la rivière, il s'était faufilé une dernière fois sous la mer gelée. Là, perdu dans ses pensées, il avait oublié la progression du jour, le froid mordant; il était resté si longtemps sous la banquise que la marée avait failli l'emporter. La veille, son père s'était fait insistant. Il voulait que Natak prenne femme. Tadlo regrettait que son fils n'ait personne pour mâcher le cuir de ses bottes, réparer ses vêtements, tirer de bonnes charges et fouiller la toundra en quête de broussailles, de mousse et de bois. Natak aurait voulu lui expliquer, parler de l'étrange créature qui l'obsédait la nuit et l'abandonnait pantelant, chaviré de désir, au petit matin, mais il n'avait pas su trouver les mots.

Il était donc parti avec l'excuse de courir derrière quelques disparus. Il avait fui pour ne pas commettre un geste stupide. Pour ne pas laisser la mer l'avaler ou le froid l'engourdir à jamais. Depuis qu'il était hanté par des images fuyantes, Natak croyait comprendre ce qui, certaines saisons, pousse les lemmings à foncer par centaines vers la mer pour s'y noyer. Ils courent vers un rêve, se disait Natak.

Maïna

Il avançait depuis l'aurore, à grandes enjambées sur la neige durcie. Depuis combien de jours, combien de semaines était-il parti? Il ne s'attendait plus à retrouver Merqusak et les siens, mais il espérait vaguement croiser d'autres tribus des glaces, celles qui pénètrent à l'intérieur des terres. Peut-être que là, parmi ces gens, il trouverait une femme qui ressemblerait au moins un peu à la vision fugace de ses rêves. Alors, il la ramènerait. Mais le temps s'écoulait, ses réserves de phoque s'épuisaient malgré les chasses au petit gibier et il avait maintes fois réparé ses bottes usées par l'interminable marche sur la rivière gelée.

Natak s'immobilisa soudain en apercevant les caribous. C'était une belle harde, fébrile, haletante. Des loups l'avaient sans doute poursuivie. Natak attendit, le cœur suspendu, étudiant les mouvements du troupeau. En quête de lichen, les caribous grattaient de leurs sabots la neige durcie. Natak avança prudemment, silencieusement, tendu à l'extrême.

Il n'abattit qu'une seule bête, lui trancha la gorge et but longuement le sang chaud et salé. Puis il ouvrit ses flancs, dévora une bonne part de la graisse attachée aux entrailles et se gava des masses noires tressaillantes. Il découpa enfin quelques morceaux de viande qu'il chargea sur son dos et reprit sa route après avoir enterré le reste dans une cache. Au retour, il en aurait peut-être grand besoin.

Natak aurait voulu savoir pourquoi Merqusak

Dominique Demers

avait fui. La baie qu'exploitait cette bande voisine n'accueillait-elle pas toujours autant de phoques et de morses? Natak soupira. Depuis que son peuple avait connu l'horreur, loin là-bas, par-delà les montagnes, dans la baie où dorment les pierres de lune, la vie n'était plus la même. Pourquoi avait-il fallu que tant des siens meurent? Pourquoi le sang avait-il coulé? Les questions fusaient dans l'esprit de Natak comme une nuée d'oies blanches dans un ciel d'automne.

Vingt et un

Maïna découvrit bientôt que la tempête n'était rien à côté du redoux. Le soleil s'effaça derrière des nuages gris ; l'air devint étrangement tiède, la neige molle. Il tomba d'abord de la neige mouillée puis de grosses gouttes d'eau. Maïna sentit alors le froid humide la pénétrer jusqu'aux os. Ses peaux lourdes d'eau ne réussissaient plus à la protéger. Seule la tunique arrachée au cadavre lui garantissait un peu de chaleur. Il aurait fallu du feu, mais Maïna avançait désormais dans un monde désolé.

Peu à peu, au cours des dernières semaines, la forêt d'épinettes chétives était devenue clairsemée. Il n'y avait plus de véritable sous-bois, plus de refuge.

À la tombée du jour, Maïna refusa de s'arrêter. Elle avait trop peur de ne jamais repartir. Elle marcha lentement. Une lune blafarde éclairait faiblement sa route. Maïna trouva un ruisseau, but de l'eau, gratta la neige lourde au bord du courant et arracha de la tripe de roche. Elle poursuivit sa route en mâchant la plante amère qui avait sauvé tant de vies.

Pendant la nuit, l'air redevint froid. Les

peaux gonflées d'eau se raidirent et durcirent. Maïna se sentit prise dans un étau de glace. Puis les nuages s'épaissirent, le vent enfla et des flocons tourbillonnèrent dans le ciel. Maïna continua pourtant d'avancer. Rien ne semblait pouvoir l'arrêter.

Un jour pâle succéda à la nuit. La neige tombait toujours. Maïna poursuivit aveuglément sa route jusqu'à ce que son pied bute contre une surface dure. Elle s'accroupit et balaya la neige. Un cri s'échappa de sa gorge. Elle venait de découvrir un autre cadavre. Le visage était rond et massif, les yeux révulsés, les joues terriblement creuses, comme avalées par la bouche fermée. Un sillon rouge avait séché à la commissure des lèvres. Maïna entreprit de dégager le corps. L'homme tenait un os dans une main et un couteau dans l'autre. De quelle bête s'était-il nourri avant de mourir?

Sa tunique était identique à celle qu'elle avait arrachée à l'autre cadavre. Maïna allait s'en emparer lorsqu'elle découvrit une autre fourrure, encore plus magnifique, sous le corps. L'homme était étendu sur un extraordinaire pelage blanc aux poils longs, riches et abondants. Maïna eut immédiatement envie de dormir sur cette chaude fourrure. Elle avait déjà entrepris de la dégager lorsque son regard glissa sur un autre cadavre et un dernier encore.

Maïna vomit la tripe de roche en dégageant les deux petits corps. Elle venait de trouver la viande que l'homme avait dévorée avant de mourir. Les enfants avaient sans doute été assommés avant de servir de repas, à en juger par la bouillie autour des crânes. L'un d'eux avait le ventre troué et les bras arrachés. L'autre s'était fait manger les joues et les cuisses.

Malgré sa profonde répulsion, Maïna s'empara de la belle fourrure blanche. N'était-elle pas une Presque Loup? Forte, brave, insensible aux humeurs du corps et de l'âme. Toujours capable de foncer, de tenir bon. Maïna souhaita que l'esprit des loups la voie, qu'il soit témoin de sa vaillance.

Si les loups avaient été là, ils auraient aperçu une petite femme au visage décharné, hoquetant et pleurant dans la tourmente, une lourde fourrure pendue à son bras.

Vingt-deux

Natak naviguait encore dans des rêves agités. Il courait à perdre haleine vers un tourbillon de neige qu'il tentait en vain d'étreindre. Il s'éveilla haletant. Celle qu'il cherchait n'était-elle donc que de l'eau et du vent? Son cœur bouillait de rage. Il se sentait ridicule de s'être avancé si loin avec la faible excuse de retrouver une famille que les bêtes avaient sans doute déjà dévorée. Natak promit de repartir vers les siens dès l'aube. Il aurait dû rebrousser chemin depuis longtemps. Il eut du mal à se rendormir, mais ses rêves finirent par l'emporter de nouveau.

Cette fois, Natak y avançait à pas lents, attentif à tous les bruits. Jamais le silence autour de lui n'avait paru si pesant. La vaste plaine blanche s'étendait à perte de vue, vide jusqu'à l'infini. Un cri fusa alors dans la nuit. Comme un appel. Puissant, vibrant, irrésistible. C'était un son connu mais modulé différemment. Plus intense, plus déchirant. Un loup hurlait. À la lune ou au vent. La plainte s'amplifia et devint assourdissante.

Natak s'éveilla de nouveau, en criant lui

aussi, les tempes moites, le cœur agité. Il mit du temps à se calmer. Il était triste et inquiet. Il avait promis de retourner vers les siens dès l'aube et, pourtant, il hésitait encore à rebrousser chemin. Natak décida alors de faire un pacte avec les esprits. Il laisserait son maigre chargement dans l'abri de fortune qu'il avait construit la veille. Ainsi se protégeait-il du danger d'avancer indéfiniment dans le vide, remettant toujours à demain le moment du retour. Il marcherait un jour. Pas plus. À la nuit, il s'inventerait un refuge et le lendemain il reviendrait. Il ne se laisserait pas ronger vivant par des rêves fous. Natak se donnait un jour pour trouver un signe, une trace. Après, il rentrerait.

Vingt-trois

Au loin, les collines ressemblaient à de grosses bêtes assoupies. Maïna s'éveilla, à demi ensevelie sous la neige, et elle décida de ne plus se relever. Elle songea au paradis où paissent d'inépuisables troupeaux de caribous. N'avait-elle pas assez souffert parmi les lacs, les arbres et les rivières? Elle avait hâte de vivre là où les hommes n'ont jamais faim, ni soif, ni froid, quelle que soit la nature de cet extraordinaire territoire. Elle avait grandi dans un pays torturé par les esprits, livré aux grands vents, à la pluie, à la neige, aux moustiques. C'était un pays dur, cruel, impitoyable. Et pourtant, étrangement, elle avait du mal à imaginer la vie sans ces grands revirements, ces foudroyantes saisons.

Pendant longtemps, elle ne ressentit qu'un grand épuisement. Ses pensées erraient pendant qu'elle contemplait le ciel. Puis, peu à peu, une sorte de rage l'envahit. La mort pouvait venir, elle l'attendait. Mais avant, dans le silence et l'immobilité, Maïna cracha sa colère aux loups.

Ils l'avaient accompagnée de loin en loin jusqu'ici, intervenant parfois, juste à temps, juste avant qu'elle ne s'écrase trop vite. Ils lui avaient épargné des dangers, cédé de la viande, mais ils lui avaient refusé l'essentiel : Manutabi. Et ils l'avaient bernée cruellement en lui laissant croire qu'elle avançait vers un but, qu'elle remplissait une mission, qu'elle avait été choisie. Pendant des heures, Maïna injuria son esprit tutélaire.

À la fin du jour, les lumières du nord apparurent et Maïna réussit peu à peu à faire la paix avec les esprits. Elle observa les fantômes lumineux éparpillant leurs couleurs dans le ciel noirci. Au cœur des aurores boréales, l'âme des morts dansait dans la nuit. Lorsque disparurent les lumières du nord, Maïna se sentit humble et petite de nouveau. Sa mission était accomplie. Les loups avaient simplement exigé qu'elle aille jusqu'au bout, jusqu'à ce que ses forces l'abandonnent, jusqu'à ce qu'elle ne puisse vraiment plus avancer. Ils lui avaient demandé de faire honneur aux siens en fonçant bravement vers le froid, là où habite le grand maître des caribous. Elle avait avancé patiemment, courageusement, à la manière des rares loups solitaires sur la piste des cervidés. Maïna se jugea bien sotte et prétentieuse d'avoir cru que les loups lui réservaient une mission particulière. La tâche de survivre n'était-elle pas assez grande ?

Maïna ne sentait presque plus le froid, la faim, la soif, la neige et les vents. Un voile brouillait sa vue et les sons lui parvenaient amortis. Elle sentit un souffle chaud dans son cou, comme une haleine enveloppante. La mort était-elle si invitante? Elle ouvrit péniblement les yeux et vit un regard noir plonger dans le sien. Le sang bouillonna dans ses veines. Manutabi! Ses lèvres tentèrent de prononcer ce nom, mais aucun son ne surgit. Elle entendit alors des paroles bizarres, incompréhensibles, et découvrit que l'homme penché sur elle n'était pas Manutabi. Il portait la même tunique de fourrure sombre et chatoyante que les cadavres dans la neige. Ceux qui mangent la chair de leurs semblables.

Maïna attendit que des dents se plantent dans sa peau, mais l'étranger disparut. Puis, au bout d'un long moment, elle sentit des bras puissants s'affairer autour d'elle. Maïna ferma les yeux. Manutabi était revenu. Enfin. Il balayait la neige sur son corps. Bientôt, il la prendrait dans ses bras. Des larmes coulèrent sur ses joues.

Vingt-quatre

Natak savait que le temps était compté. Il devait arracher son trésor à la mort. Il avait réussi à ne pas se laisser trop émouvoir en reconnaissant les signes qui avaient hanté ses nuits. Ses gestes étaient restés précis, ses pensées parfaitement claires, mais une joie immense l'avait envahi.

Il n'avait que sa chaleur à lui pour réveiller la vie. Il s'étendit à côté du corps menu et pressa doucement la frêle créature contre lui en frictionnant son dos, ses jambes, son cou, ses bras. Il la berça un peu contre son corps et recommença.

Elle murmura alors des mots étranges, inaccessibles, mais d'une tendresse inouïe. Puis, elle ouvrit les yeux. Elle avait un regard d'amante dans un corps de petite fille. Et ses yeux, ses mots, d'une douceur exquise, semblaient chanter pour lui. Natak.

Il ne put attendre. La crainte que la mort ne l'emporte était trop forte. Natak chargea le petit paquet sur son dos et courut.

De la même auteure :

Maïna - tome 2, Au pays de Natak

Ce second tirage a été
achevé d'imprimer en novembre 1998
de l'Imprimerie Gagné,
Louiseville, Québec.